Louis Trouchaud

52 balades en famille dans le Pays niçois

Illustrations et plans : Thomas Lemot

Didier Richard

A ma femme, mes enfants, mes petits enfants Laurent, Romain, Vincent, Erick, Floriane et arrière petite fille Ophélie, en espérant qu'ils continueront à randonner dans mes traces...

Nous avons apporté le plus grand soin à l'élaboration de cet ouvrage en nous efforçant de fournir des informations objectives, complètes et actualisées.
L'éditeur et l'auteur ne sauraient être tenus pour responsables dans l'hypothèse d'un accident sur les itinéraires et tracés suggérés dans cet ouvrage, et ce, qu'elles qu'en soient les causes.

Les éditions Didier Richard seraient reconnaissantes aux utilisateurs de ce guide de leur faire part de toute remarque ou suggestion susceptible d'améliorer leurs publications.

Conception graphique de la collection : Thomas Lemot, 76 87 15 56
Photo couverture : Louis Trouchaud

Dépôt légal 1re édition : octobre 1992 - ISBN : 2-7038-0094-0
Dépôt légal 4e édition : 1996

Imprimerie des Deux-Ponts - Gières

Sommaire

Plan de situation des balades 4
Au lecteur 6
Clés de l'ouvrage 7
Conseils aux débutants 9
Légendes des dessins des 52 balades 12

Riviéra et Pays niçois

1 - Le Mont de la Bataille 19
2 - Eze, le Nid d'Aigles 21
3 - Le Tour du Cap Martin 23
4 - Les Ruines de Châteauneuf 25
5 - Le Grand Braus 27
6 - Le Tour du Cap Ferrat 29
7 - Le Plateau de la Justice 31
8 - Le Fort du Pic Charvet 33
9 - L'Arpiha 35
10 - Cime de la Forma 37
11 - Les Monts Chauves 39
12 - Le Mont Cima, La Vieille Ville d'Aspremont 41
13 - Gorbio/Ste Agnès/Gorbio 43
14 - Le Roc d'Orméa 45
15 - Les Ruines de Rocca Sparvière 47
16 - Le Tour du Mont Gros 49
17 - La Cime du Baudon 51

Roya - Bévéra - Merveilles

18 - Cime de Ventabren 55
19 - Notre Dame du Mont 57
20 - Notre Dame des Grâces 59
21 - La Pinède de Breil 61
22 - La Cime du Bosc 63
23 - Pienne Haute 65
24 - Fort Barbonnet 67
25 - Fort du Mont Gros 69
26 - Le Mont Bonsapée 71
27 - Les Forts du Col de Tende 73
28 - Le Lac des Mesces 75
29 - Lacs de Fontanalbe 77
30 - Libre/Airole/Libre 79
31 - Le Château de Malmort 81
32 - Le Lac Jugale/Le Bec Roux 83
33 - Le Mont Agnelino 85
34 - Le Mont Razet 87

Vésubie - Tinée - Mercantour

35 - Arboretum de Roure 91
36 - La Chapelle Ruinée de St-Martin 93
37 - Cime de la Colmiane 95
38 - Col de Salèse 97
39 - Le Lac des Adus 99
40 - Au Balcon de St-Sauveur 101
41 - Le Mont Tournairet 103
42 - La Madone d'Utelle 105
43 - Clans 107
44 - Les Granges de la Brasque 109
45 - Le Lac de Très Colpas 111
46 - Les lacs et la Baisse de Prals 113
47 - Lacs Nègre et de la Graveirette 115
48 - Les Lacs Niré 117
49 - Les Lacs de Vens 119
50 - Le Vallon de Mollières 121
51 - Le Tour de Sestrière 123
52 - Les Lacs de Lausfer 125

Classements 126

Sestrière
Lacs de Vens
St Etienne de Tinée

52 balades dans le Pays Niçois

← Digne

Italie
Cunéo
ercantour
Lacs du Lausfer
Isola
Mollières
Lac Nègre
Col de Salèse
Lac des Adus
Forts du Col de Tende
Lac des Tres Colpas
Lacs Niré
Mont Agnelino
Tende
Roure
St-Sauveur/Tinée
Lacs de Prals
Fontanalba
Lac des Mesches
St Martin Vésubie
St Dalmas de Tende
la Colmiane
D2565
Lac Jugale
Mt Bonsapée
Mont Tournairet
N204
Granges de la Brasque
Clans
Château de Malmort
Chapelle St Martin
l'Arpiha
D2205
Lantosque
la Pinède
ND du Mont
ND des Grâces
Breil-sur-Roya
N202
Pic Charvet
Cime du Bosc
Fort du Mt Gros
Pienne Haute
Madone d'Utelle
Vésubie
Roya
le Gd Braus
Sospel
Airole
Ventabren
Rocca Sparvière
Fort Barbonnet
Mt Razet
N202
Cime de Baudon
Savone
Mt Cima
Roc d'Ormea
Ruines de Châteauneuf
Gorbio
Vintimille
Mt Gros
Menton
Mts Chauves
la Forma
la Bataille
Cap Martin
A8
Monaco
Var
la Justice
Eze
Cap Ferrat
Nice
Cagnes
Cannes

Au lecteur

Amis promeneurs, voici une sélection de 52 sorties pour découvrir à votre rythme et de manière progressive les richesses du Pays niçois.
Placée sur la route des invasions, cette région a une histoire tumultueuse dont vous trouverez les traces au cours des 52 balades que je vous propose. A la fois méditerranéen et alpin, le Pays niçois est celui des contrastes : dans sa flore, dans sa faune, entre sa côte et ses montagnes....
Cet ouvrage est une invitation à la marche et à la découverte, pour que chacun, parents, enfants, grands-parents s'oxygènent en pleine nature. Chaque itinéraire est illustré par des dessins qui permettent une lecture simple des paysages : quels types d'arbres, de fleurs, d'animaux, de monuments allez-vous rencontrer ? Où sont les coins les plus agréables, les plus beaux panoramas ? Vous saurez toujours où vous êtes, ce que vous pouvez découvrir, admirer, sentir, apprendre sur cette région qui exerce un réel envoûtement sur les hommes et les femmes du monde entier.
J'espère que, le parcourant par monts et par vaux, vous l'aimerez et souhaiterez le découvrir toujours davantage grâce à la randonnée.

Clés de l'ouvrage

Lecture

Pour choisir votre balade, vous disposerez systématiquement des informations suivantes :
- Durée et kilométrage du trajet aller en voiture depuis Nice,
- Saison(s) de prédilection,
- Altitudes du parking, du point culminant du tracé et dénivelée,
- Durée totale de la marche,
- Fléchage.

Mais aussi et surtout, grâce au plan illustré qui accompagne le descriptif, vous pourrez visualiser l'environnement naturel et historique qui vous attend.
Ce plan illustré a été dessiné après vérifications sur le terrain. Toutefois toutes les balades ne sont pas représentées à la même échelle pour des raisons techniques évidentes. **Par conséquent pour choisir votre sortie, fiez-vous surtout à la durée effective de la marche.**
Concernant l'orientation, les plans sont normalement dessinés avec le Nord en haut, sauf précision contraire sur le croquis.
Les indications "rive droite" ou "rive gauche" s'entendent selon le sens orographique (sens d'écoulement).
La double page 10/11 offre une grille de lecture complète des dessins et des informations portées pour chaque balade. Les pages 12 à 14 sont consacrées à la légende détaillée des dessins.

Echelle des temps

Les horaires qui jalonnent les descriptifs d'itinéraires ne constituent pas un horaire de chemin de fer, encore moins un record à battre. Il s'agit de repères supplémentaires dans le cheminement qui reposent sur des temps de marche effective, auxquels il ne faut pas oublier d'ajouter les moments d'arrêts, de repos ou de repas.
Ils doivent être pondérés par plusieurs éléments :
- les intervalles ont toujours été arrondis aux 5 minutes les plus proches (par exemple, une durée de 13 mn a été comptabilisée 15 mn),

- le nombre de promeneurs : plus le groupe est important, plus le cheminement est lent,
- les conditions météorologiques : on évolue plus difficilement en plein soleil,
- la forme physique de chacun.

Degrés de difficulté

Les 52 itinéraires sont classés selon 3 degrés de difficulté, permettant une initiation progressive à la randonnée :

: "Pianissimo" : c'est une promenade sur bons sentiers, sans risque d'égarement, avec une dénivellation ne dépassant pas 290 mètres pour la plus difficile. Sa durée varie d'1 à 3 heures de marche effective, les arrêts pour pause, casse-croûte, photos, etc... n'étant pas compris. C'est le type de promenade conseillé aux débutants, aux familles avec jeunes enfants...

: "Moderato" : ces randonnées ne demandent qu'un petit entraînement physique à l'effort. Elles durent de 2 à 4 heures pour des montées allant jusqu'à 550 mètres, elles sont à la portée de tous.

: "Fortissimo" : il faut un certain exercice de la marche en montagne sur sentiers - pour ne pas dire un exercice certain pour quelques unes d'entre-elles -, pour se lancer dans ces petites courses d'une durée de 3 à 6 heures avec des dénivelées de 500 à 1000 mètres.

Bien entendu, ce n'est pas seulement le degré de difficulté qui guidera votre choix. Les divers attraits naturels, touristiques, historiques de chaque sortie nous conduisent à vous inviter à toutes les parcourir.

Quelques conseils aux débutants, ainsi qu'à ceux qui le sont moins

Ayez des vêtements amples ainsi qu'un chapeau de toile et un bonnet de laine dans le sac à dos qui devra avoir une contenance de 30 litres ; une gourde d'au moins 1 litre d'eau (les bouteilles plastique d'eau minérale en font très bien usage), il faut boire en randonnée ; une petite pharmacie de poche contenant : du désinfectant et des petits pansements adhésifs ; une petite laine, un poncho plastique pour la pluie ; un sifflet (pour lancer des appels si besoin est) ; éventuellement cartes et boussole, pour apprendre à s'en servir ; et enfin lorsque vous entreprendrez les plus longues sorties : une couverture de survie (poids 100 grs) que l'on trouve dans les magasins de sports.
Ultime recommandation : soyez bien chaussé, avec des chaussures à fortes semelles et "tenant" bien les chevilles.

Avis important : ne partez jamais seul et sachez qu'il n'y a aucun déshonneur à faire demi-tour en cas de mauvais temps ou de fatigue.

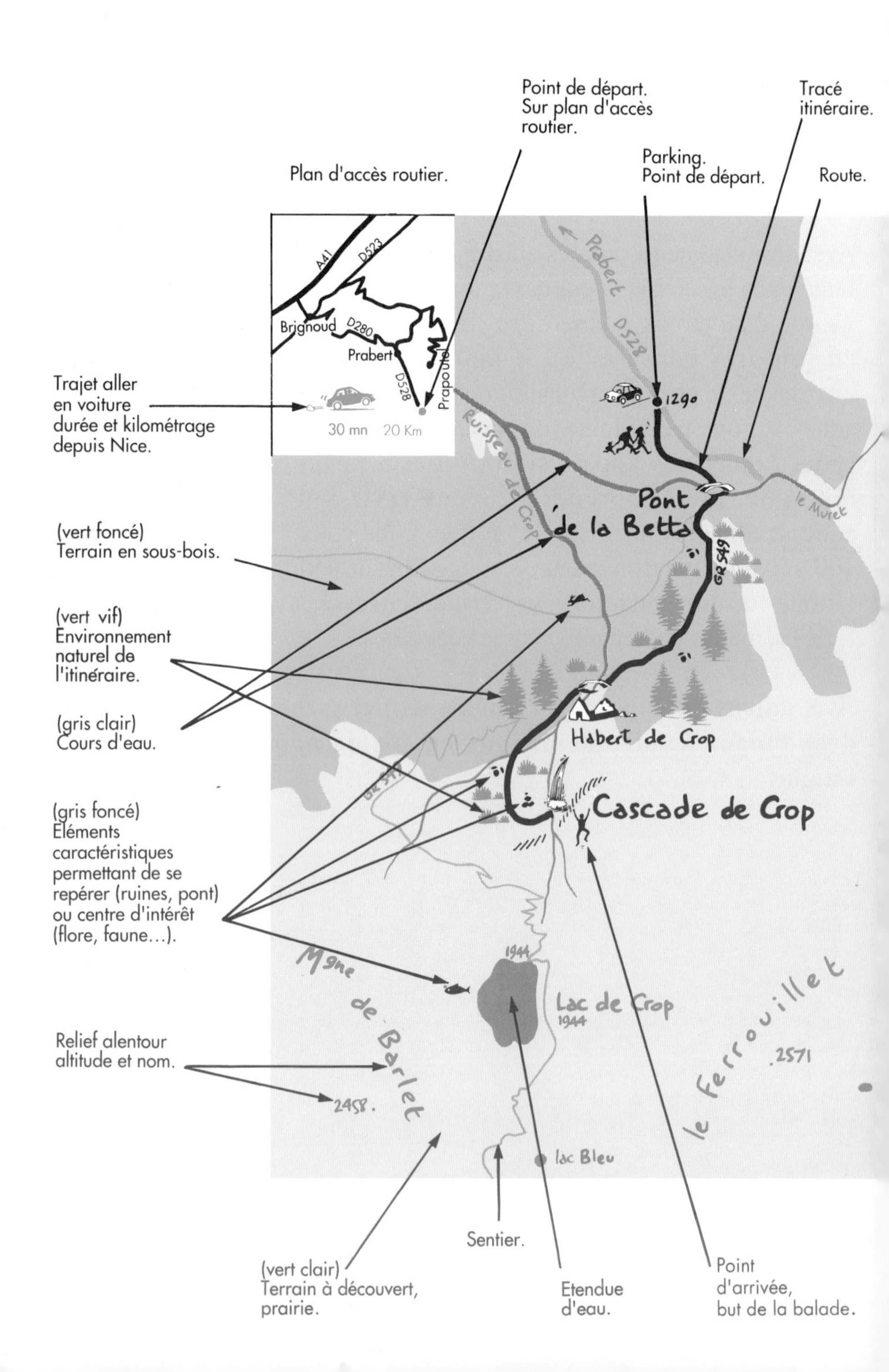

Point de départ.
Sur plan d'accès routier.
Tracé itinéraire.
Parking.
Point de départ.
Plan d'accès routier.
Route.
A41
D523
Brignoud
D280
Prabert
D528
Prapoutel
30 mn
20 Km
Prabert
D528
1290
Trajet aller en voiture durée et kilométrage depuis Nice.
Ruisseau de Crop
Pont de la Betta
le Muret
GR549
(vert foncé) Terrain en sous-bois.
(vert vif) Environnement naturel de l'itinéraire.
(gris clair) Cours d'eau.
Habert de Crop
GR549
Cascade de Crop
(gris foncé) Eléments caractéristiques permettant de se repérer (ruines, pont) ou centre d'intérêt (flore, faune...).
Mgne de Barlet
1944
Lac de Crop
1944
le Ferrouillet
.2571
Relief alentour altitude et nom.
2458.
lac Bleu
Sentier.
(vert clair) Terrain à découvert, prairie.
Etendue d'eau.
Point d'arrivée, but de la balade.

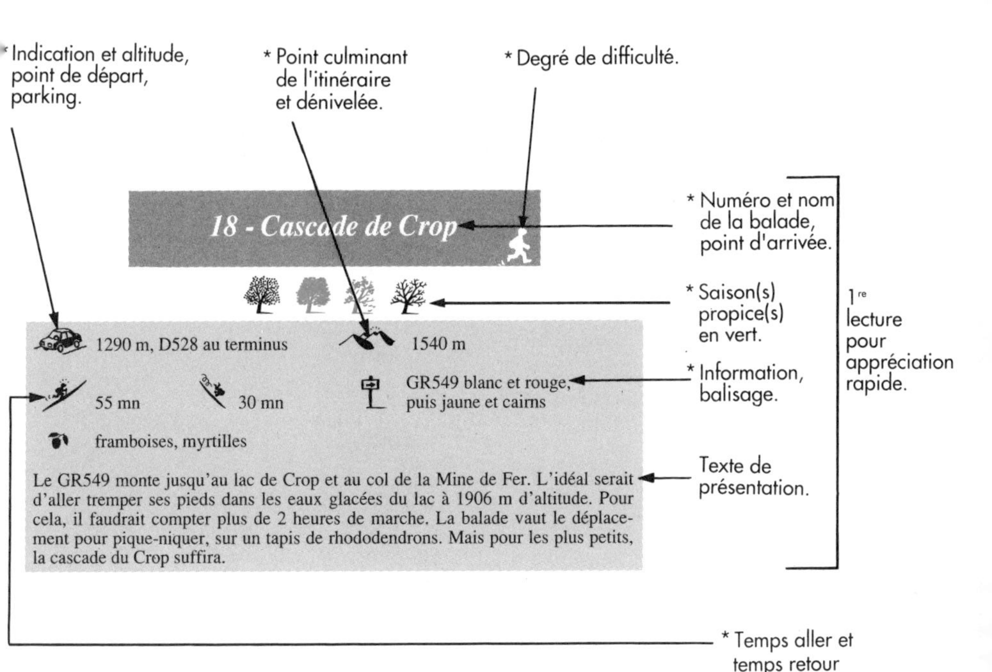

De Prabert, 7,5 kms après Brignoud, suivez la D528 sur 3,5 kms. 500m avant le terminus de cette route goudronnée qui s'enfonce dans Belledonne, un sentier balisé GR549 part à droite. 5 minutes après, traversez le torrent le Muret sur le Pont de la Betta, dans la forêt. Prenez alors un sentier à gauche fléché "Cascade de Crop, Pas du Boeuf, lac de Crop". C'est le GR549. Laissez sur la droite l'itinéraire du Tour des Sept Laux. Le sentier monte à pleine pente raide en longeant des myrtilles, des arbustes, puis des épicéas. Poursuivez à flanc, sur un replat, laissez un sentier à gauche et goûtez, à la saison, les framboises. Traversez le ruisseau du Crop sur un pont en bois, avant d'apercevoir la cascade sur la gauche. Remontez la rive gauche à travers une prairie envahie d'arbustes, de fougères et de framboises, avant de rencontrer les ruines du Habert de Crop. A la lisière d'une forêt d'épicéas, prenez le sentier de gauche, peu visible en saison, au milieu des myrtilles et des arbustes. suivez le balisage jaune puis les cairns dans les sous-bois. Vous arrivez bientôt au pied de la cascade de Crop.
Redescendez par le même itinéraire.

Description de l'itinéraire (tous les termes suivis du symbole * sont explicités dans le lexique p. 15).

* Indications de base pour toutes les balades.

Légendes des dessins

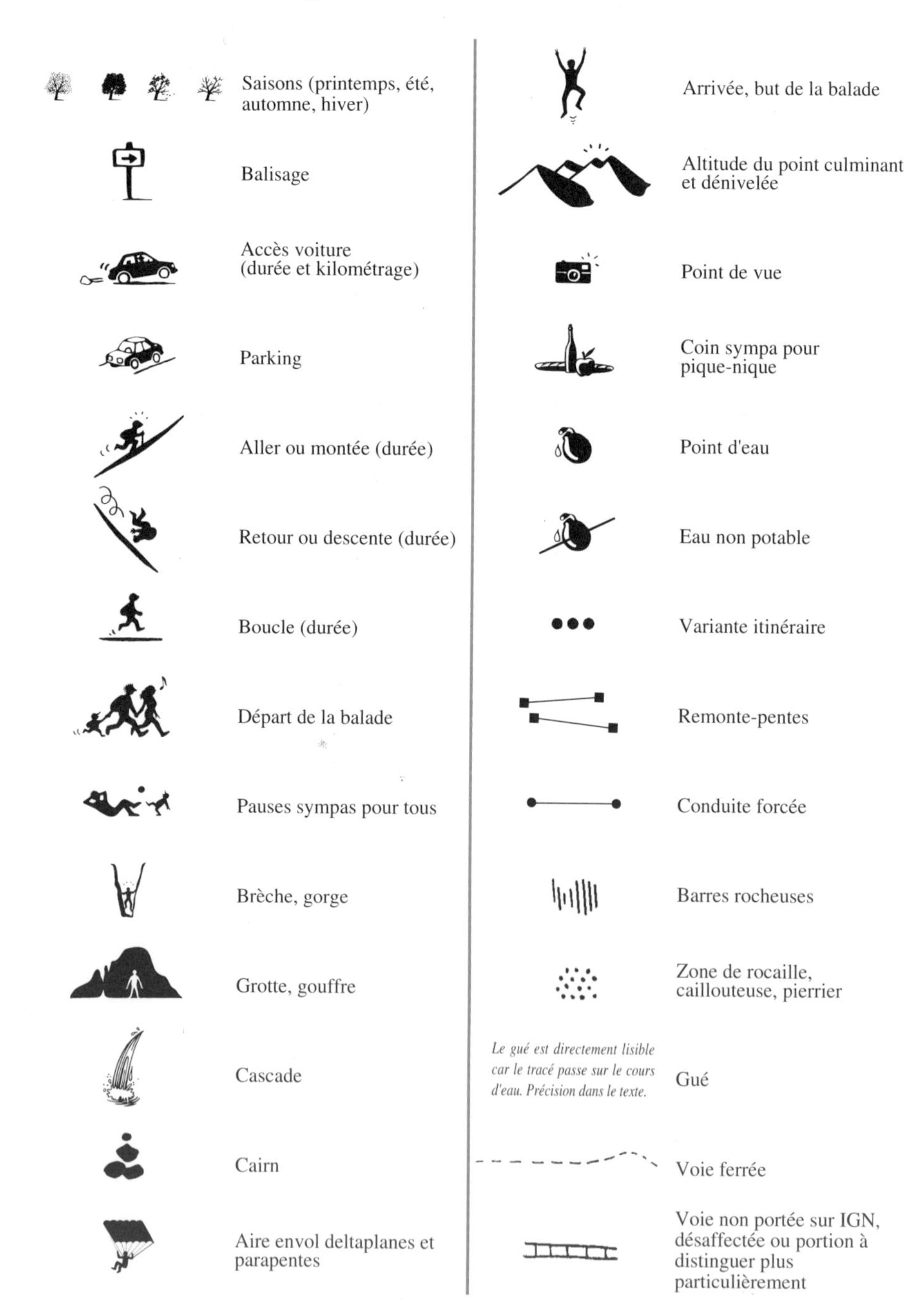
Saisons (printemps, été, automne, hiver)
Balisage
Accès voiture (durée et kilométrage)
Parking
Aller ou montée (durée)
Retour ou descente (durée)
Boucle (durée)
Départ de la balade
Pauses sympas pour tous
Brèche, gorge
Grotte, gouffre
Cascade
Cairn
Aire envol deltaplanes et parapentes
Arrivée, but de la balade
Altitude du point culminant et dénivelée
Point de vue
Coin sympa pour pique-nique
Point d'eau
Eau non potable
Variante itinéraire
Remonte-pentes
Conduite forcée
Barres rocheuses
Zone de rocaille, caillouteuse, pierrier
Le gué est directement lisible car le tracé passe sur le cours d'eau. Précision dans le texte.
Gué
Voie ferrée
Voie non portée sur IGN, désaffectée ou portion à distinguer plus particulièrement

Oppidums Castellaras

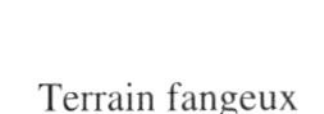

Terrain fangeux

Eglise sans style

Style baroque

Style lombard

Chapelle romane

Curiosité historique

Fort

Village, bourg, ensemble d'habitations

Hameau

Ruine

Maison isolée

Maison habitée (gîte, refuge, abri)

Plusieurs maisons isolées

Pylône et ligne haute tension

Réémetteur TV ou antenne parabolique

Oratoire

Calvaire, croix de chemin

Fontaine, abreuvoir

Réservoir

Pont

Citerne

Vestiges romains

Blockhaus

Phare, sémaphore

Garrigue, massif épineux, buissons

Champignons

Noisettes, myrtilles, fraises, framboises, noix

Fleurs

Houx

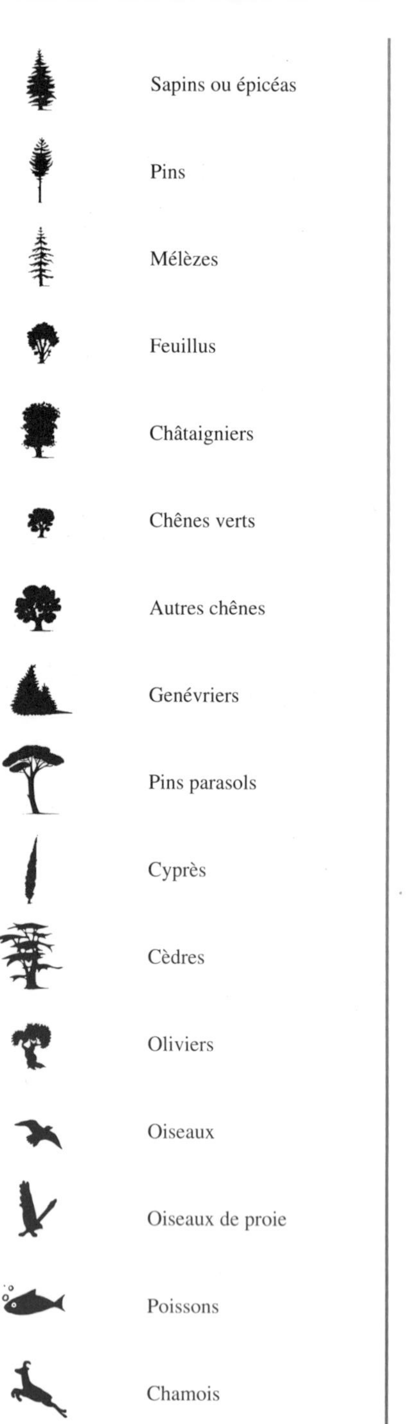

Sapins ou épicéas

Pins

Mélèzes

Feuillus

Châtaigniers

Chênes verts

Autres chênes

Genévriers

Pins parasols

Cyprès

Cèdres

Oliviers

Oiseaux

Oiseaux de proie

Poissons

Chamois

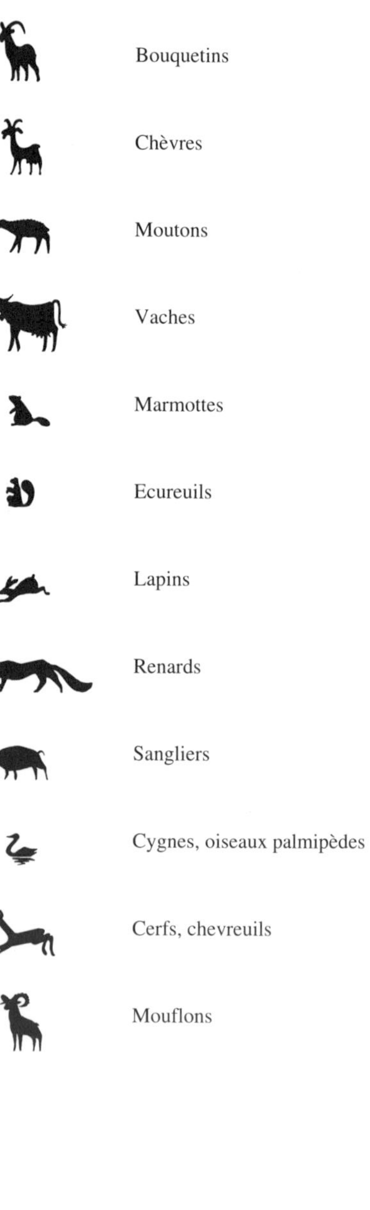

Bouquetins

Chèvres

Moutons

Vaches

Marmottes

Ecureuils

Lapins

Renards

Sangliers

Cygnes, oiseaux palmipèdes

Cerfs, chevreuils

Mouflons

Lexique

Adret : (adrecht adrech) versant d'une montagne exposé au soleil.
Baisse : échancrure dans une ligne de crêtes ou de pente. Le col correspond à la même définition mais en plus donne naissance à un ou plusieurs cours d'eau.
Bégude-Béal : petit canal d'arrivée d'eau aux cultures ou à un moulin.
Calade : au sens propre du mot provençal désigne une descente. Viendrait du grec Khalân, "abaisser". Mais s'est étendu à chemin pavé, dit aussi Caladé, sans tenir compte du sens montée ou descente. Retrouve son sens propre dans l'expression "Monte-cale" qui signifie "monte et descend" ; un chemin monte-cale est un chemin fait de montées et descentes successives.
Clapier : synonyme de pierrier, du mot Clap signifiant pierre, d'origine Celte ou Ligure
Condamine : au moyen âge terre fertile appartenant soit au seigneur, soit à la communauté, franche de tous droits. Vient du mot latin "Condominium" (domaine commun).
Dalot : petit aqueduc pratiqué dans un remblai ou sous un chemin pour favoriser l'écoulement des eaux.
D.F.C.I. : Défense des Forêts Contre les Incendies.
Doline : cuvette circulaire en terrain calcaire provenant de l'effondrement d'une cavité du sous-sol.
Eyguier : cavité ou petite construction, en puits, servant à collecter les eaux pluviales pour constituer une réserve.
Glacis : talus dénudé qui s'étend devant une fortification.
I.G.N : Institut Géographique National, 107 rue de la Boëtie 75008 Paris. Organisme qui établit les relevés de terrain et l'édition des cartes de la France à différentes échelles.
Karstique : vient du nom Karst, zone de plateaux calcaires de Yougoslavie. Très érodé par les agents chimiques naturels (eau, gaz carbonique etc...) donnant des paysages ruiniformes.
Lapiaz : (lapiez) de Lapis, pierre en latin. Ciselures du sol calcaire en cannelures plus ou moins larges et plus ou moins profondes.
O.N.F. : Office National des Forêts. Gère les forêts domaniales (de l'état) et les forêts "soumises au régime forestier" départements, communes ou particuliers qui le souhaitent.
P.N.M. : Parc National du Mercantour. A l'intérieur du parc, il est interdit de faire du feu, de camper, d'avoir un animal (même tenu en laisse), de cueillir des végétaux, ou de ramasser des minéraux.
Pontis : constructions d'habitations enjambant une ruelle ou une venelle dans les vieux villages.
Restanques ou Faïsses : désignent en provençal ou en nissart les terrasses de cultures en étages soutenues par des murs de pierres sèches.
Roubine : Eboulis de gravier, de sable ou de schiste à la naissance d'un ravin ou à flanc de montagne.
Talweg : mot d'origine allemande synonyme de ravin.
T.H.T-H.T : lignes électriques de très haute tension ou de haute tension.
Ubac : (hubac - ibac - hibac) versant d'une montagne exposé aux vents humides. En général Nord, mais pas toujours, surtout dans notre région.

Riviéra et Pays niçois

	Temps de marche aller-retour
1 - Le Mont de la Bataille	1h00
2 - Eze, le Nid d'Aigles	2h00
3 - Le tour du Cap Martin	2h00
4 - Les Ruines de Châteauneuf	2h20
5 - Le Grand Braus	2h30
6 - Le Tour du Cap Ferrat	2h40
7 - Le Plateau de la Justice	2h40
8 - Le Fort du Pic Charvet	2h40
9 - L'Arpiha	2h00
10 - Cime de la Forma	2h55
11 - Les Monts Chauves	2h55
12 - Le Mont Cima/La Vieille Ville d'Aspremont	3h40
13 - Gorbio/Ste Agnès/Gorbio	3h45
14 - Le Roc d'Orméa	3h45
15 - Les Ruines de Rocca Sparvière	3h55
16 - Le Tour du Mont Gros	4h00
17 - La Cime du Baudon	4h15

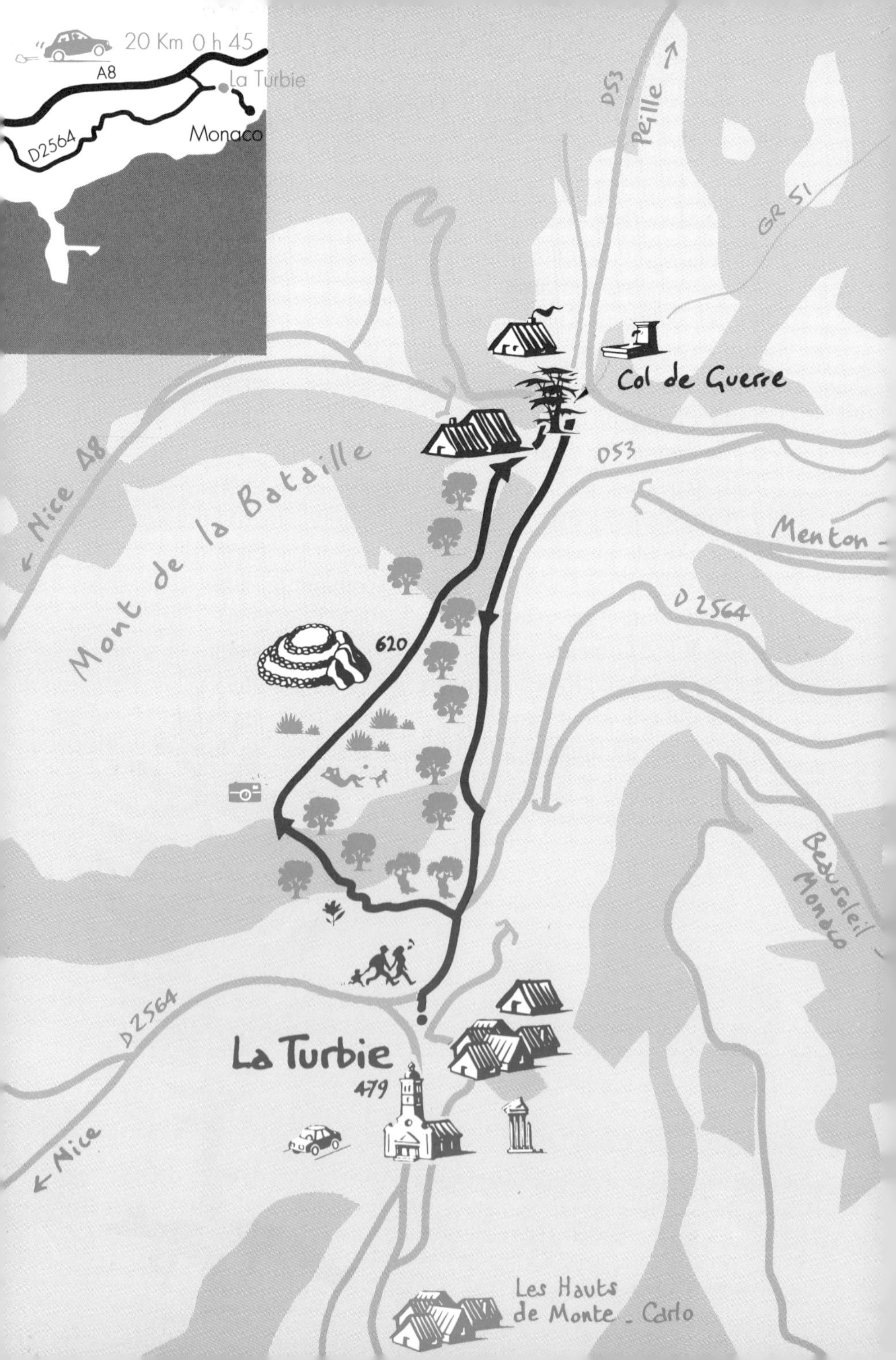

20 Km 0 h 45
A8
La Turbie
Monaco
D2564
D53
Peille
GR 51
Col de Guerre
D53
← Nice A8
Mont de la Bataille
Menton
D 2564
620
Beausoleil
Monaco
D2564
La Turbie
479
← Nice
Les Hauts
de Monte - Carlo

1 - Le Mont de la Bataille 

 La Turbie,
Place Théodore de Bainville, 479 m

 620 m - 141 m

 0 h 35  0 h 25 Sans

 Cette promenade offre une vue aérienne panoramique extraordinaire sur La Turbie : sa cité médiévale, Le Trophée d'Auguste, son église baroque (l'une des plus belles du Pays niçois), et d'Est en Ouest : Le Cap Martin, les villes de Monte-Carlo, Beausoleil le Rocher de Monaco avec son musée océanographique, le Palais Princier et enfin le Cap Ferrat.

 Au printemps les orchis variés (orchidées) bordent le chemin qui se fraie un passage au milieu des cistes blancs (appelés aussi cistes cotonneux) à fleurs roses. Le thym abondant, ajoute son odeur de garrigue à celle douceâtre des genêts à balai.

 Hôtels, restaurants et alimentation.

0 h 00 Partir, en face et à droite de la place, par les escaliers de la rue du Moulin passant devant la gendarmerie. Contourner ce bâtiment et devant l'entrée désaffectée de la villa la Marjolane prendre à gauche la calade* qui monte en lacet. En s'élevant, l'ancienne voie militaire traverse des peuplements de chênes verts et de chênes kermès (tous deux ont des feuilles persistantes assez semblables, mais celles du kermès sont piquantes, un peu comme celles du houx). Arrivé presque sur le plateau, des bancs rustiques offrent leur reposante assise. Dans l'axe du chemin, en direction Est, se dresse le Mont Agel surmonté d'antennes de détection de la défense aérienne. A l'époque romaine ce plateau était couronné d'un oppidum ligure.
0 h 35 S'approcher du bord Sud du plateau d'où l'on bénéficie d'une très grande amplitude de vue. A gauche de La Turbie et sur le même plan on distingue l'ancienne carrière romaine qui servit à fournir les matériaux du trophée. De l'extrémité Est du plateau, descendre le long d'une canalisation d'eau à travers la brèche du parapet, avec précaution car les roches usées sont devenues très lisses. **(Si le temps est humide, cette descente est alors dangereuse et il est préférable de faire demi-tour et rejoindre La Turbie par le chemin pris à l'aller)**. Autrement, après une dizaine de minutes, arriver au mur de clôture d'une villa qu'orne un cèdre majestueux. Les crocus printaniers et les anémones des Appenins tapissent le sol. Déboucher sur une voie goudronnée (qui va vers le Col de Guerre) à suivre en tournant à droite. Laisser sur la gauche deux routes successives, dont une sert de passage au GR 51 (marques blanc-rouge).
A une centaine de mètres, emprunter le premier chemin qui descend à droite après une citerne et une fontaine (c'est le Chemin Romain ex-Via Aurélia). Cimenté d'abord, il se transforme en calade en passant au pied des barres du Mont de la Bataille et arrive à la D 53 qu'il faut prendre à droite pour rejoindre La Turbie à **1 h 00**.

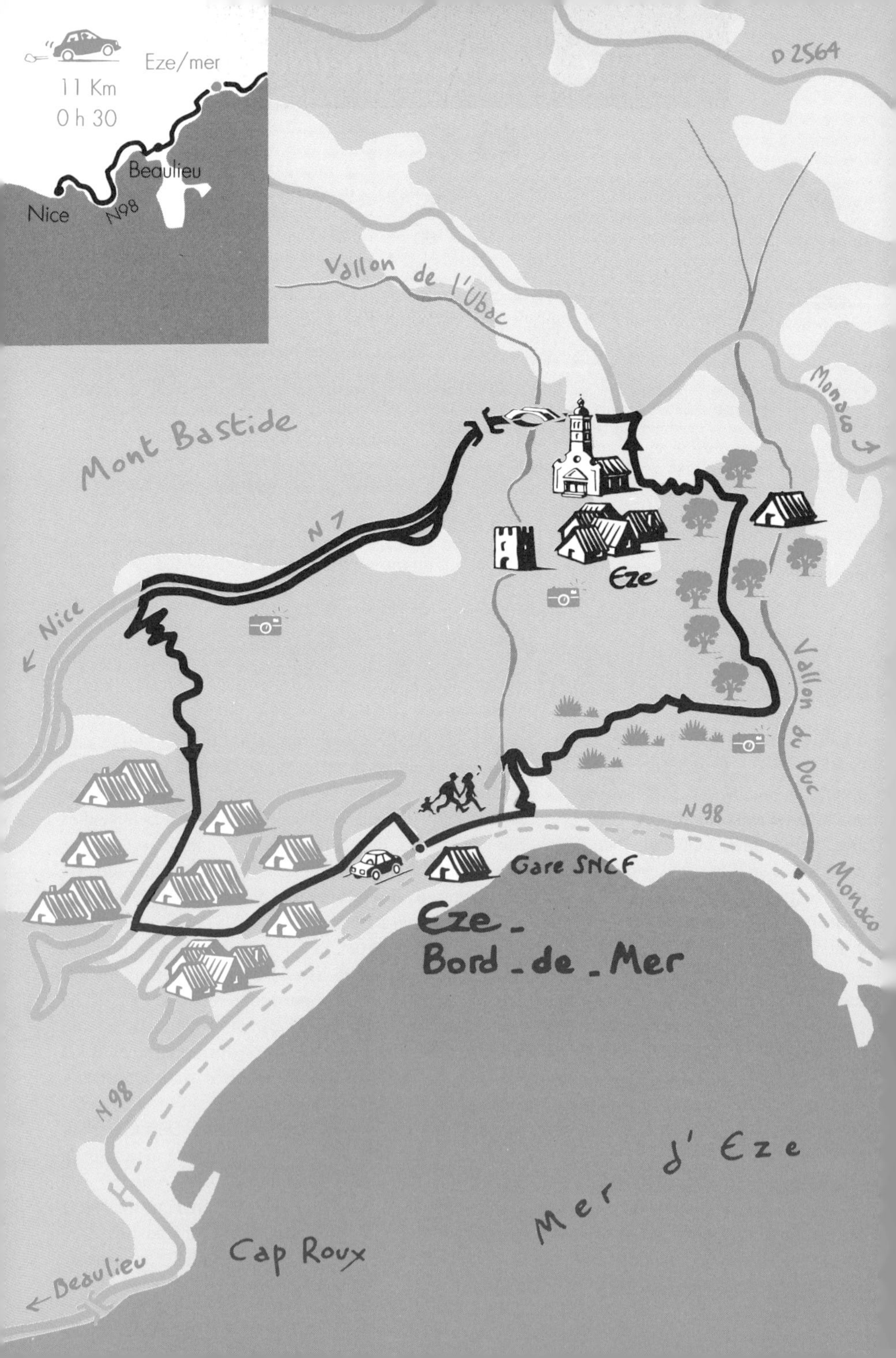
Eze/mer
11 Km
0 h 30
Beaulieu
Nice
N98
D 2564
Vallon de l'Ubac
Mont Bastide
N 7
Monaco →
← Nice
Eze
Vallon du Duc
N 98
Gare SNCF
Eze - Bord - de - Mer
Monaco
N98
Mer d'Eze
Cap Roux
← Beaulieu

2 - *Eze, Le Nid d'Aigles*

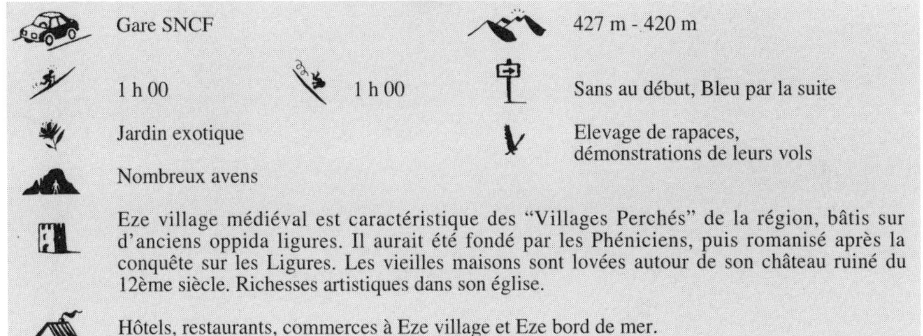

Gare SNCF

427 m - 420 m

1 h 00 — 1 h 00

Sans au début, Bleu par la suite

Jardin exotique

Elevage de rapaces,
démonstrations de leurs vols

Nombreux avens

Eze village médiéval est caractéristique des "Villages Perchés" de la région, bâtis sur d'anciens oppida ligures. Il aurait été fondé par les Phéniciens, puis romanisé après la conquête sur les Ligures. Les vieilles maisons sont lovées autour de son château ruiné du 12ème siècle. Richesses artistiques dans son église.

Hôtels, restaurants, commerces à Eze village et Eze bord de mer.

0 h 00 En face de la gare, à 200 m à gauche sur la N98, vers Monaco, s'engager sur le sentier Frédéric Nietzsche. Goudronné d'abord, cimenté ensuite, il continue à monter en escalier.
0 h 15 Laisser à gauche le chemin qui s'enfonce dans le Ravin de l'Ibac en restant sur les escaliers. Lorsqu'ils se terminent un sentier leur succède, longeant le pied d'une falaise (la calanca) dont la paroi est tapissée de concrétions calcaires, et s'élevant en lacet dans une belle calade*, vers une baisse*.
0 h 35 Celle-ci franchie, le chemin oblique en surplombant le Vallon du Duc.
0 h 40 Nouveaux escaliers contournant un chalet de bois : le Moulin Oublié.
1 h 00 Eze village. Descendre à droite sur la place du village. Prendre la RN7, à gauche, en direction de Nice. Passer sur le viaduc vertigineux qui franchit le Vallon de l'Ibac. En cheminant sur le côté gauche de la route descendre à gauche dans le Sentier Lavaric. Longer une clôture en suivant des balises bleues dans les lacets.
1 h 35 Dans la petite patte d'oie, partir sur le chemin cimenté du milieu, toujours marqué en Bleu, vers le lotissement situé dans les restanques* en contrebas.
1 h 40 Emprunter le boulevard Antonio Lamaro qui descend vers la mer. A hauteur de la villa n°38 prendre les escaliers qui débouchent devant la villa n°28. S'engager à gauche sur le Sentier St Michel. Au croisement avec l'Avenue de Provence et de l'Avenue de la Mer, continuer 30 m à gauche sur l'Avenue de Provence et par les escaliers, déboucher sur la N98, en face de la gare.
2 h 00 Gare S.N.C.F.

Péage
de la Turbie
Menton
Roquebrune
A8
D2564
Cabbé
Monaco
28 Km
1 h 00
Roquebrune-
Cap-Martin
Menton
N7
Monaco
Gare SNCF
Gare SNCF
Carnolès
Cabbé
D52
Baie de Roquebrune
Cap Martin

3 - Le Tour du Cap Martin

 Gare SNCF du Cabbé, 20 m  25 m - 25 m

 1 h 00 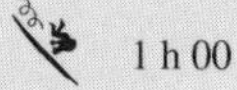 1 h 00  Sans

Ancienne fondation des moines de Lérins, qui y construisirent la basilique St-Martin, le Cap Martin compte parmi ses villas et ses résidences “Belle Epoque” enfouies sous les frondaisons, des lieux de séjour de personnalités historiques. Pour ne citer qu'elles : l'Impératrice Eugénie qui habita la Villa Cyrnos et Wiston Churchill qui y peignit beaucoup de ses toiles.

 Les panoramas sur Monaco et sur Menton sont sans pareils et inspirent de nombreux artistes peintres.

 Restaurants, hôtels, le Cabbé Cap Martin.

0 h 00 Franchir la voie ferrée par le pont situé à 100 m à droite. A la sortie du pont prendre à gauche le long de l'immeuble “Diodato”. Vingt mètres environ après l'immeuble, gravir le talus par les 3 ou 4 marches pour arriver sur le Sentier “Le Corbusier”.
0 h 05 Suivre ce sentier qui ne présente aucune difficulté, bien aménagé, il contourne le cap en surplombant la mer, offrant des vues uniques sur la Principauté de Monaco.
Les sentes qui s'en dégagent conduisent à des petites criques favorables à la baignade, mais attention, la mer est de suite très profonde.
0 h 50 Le sentier débouche sur le Boulevard Winston Churchill, à longer jusqu'au portique atteint à **1 h 00**. Revenir par le même chemin.

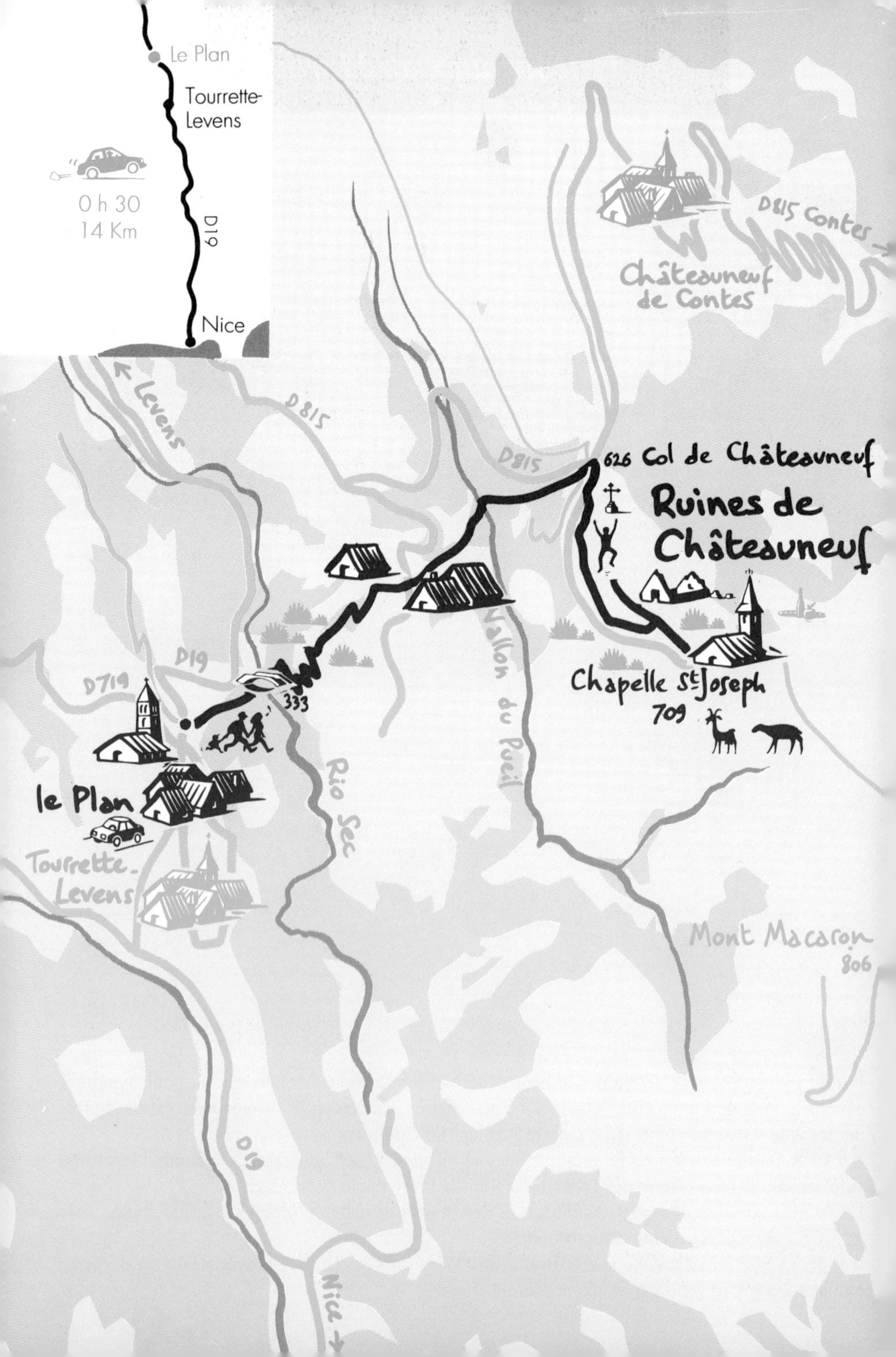
Le Plan
Tourrette-
Levens
0 h 30
14 Km
D19
Nice
D815 Contes
Châteauneuf
de Contes
Levens
D815
D815
626 Col de Châteauneuf
Ruines de
Châteauneuf
Vallon du Pueil
D19
D719
333
Chapelle St-Joseph
709
le Plan
Rio Sec
Tourrette-
Levens
Mont Macaron
806
D19
Nice

4 - Les Ruines de Châteauneuf

 A 150 m après le carrefour des D719-D419 et D19 au bas du village, 350 m

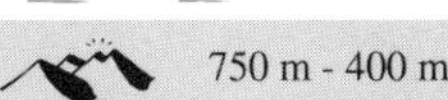 750 m - 400 m

 1 h 15

 1 h 05

 Sans

 Cet ancien castrum romain (Castellum Novum) fut au cours des âges le fief des Châteauneuf. Les héritages successifs divisèrent ce bien en plus de vingt copropriétés abandonnées par la suite. L'essaimage de ses habitants donna naissance à Châteauneuf de Contes village établi, plus bas, sur le versant Est de la montagne. Le départ de la randonnée se fait depuis Tourette-Levens qui n'a rien de commun avec ce site, mais mérite qu'on s'y intéresse un peu. Lové autour de l'ancien château fort de Revel, après avoir été successivement occupé à l'époque paléolithique (Baume Périgaud et Grotte du Merle), puis à l'époque romaine, ce centre fut érigé en comté par les ducs de Savoie à l'époque médiévale. L'église restaurée au 18ème siècle possède, outre son clocher lombard, un beau retable en bois sculpté.

 Hôtels-restaurants commerces.

0 h 00 De la chapelle St Antoine sur la D19 (sortie Nord de la ville) descendre dans le Riou Sec par le sentier qui se détache du parking du restaurant. Goudronné au départ il est balisé orange.
0 h 05 Dépassant les villas, franchir le ruisseau par la passerelle en béton puis monter les lacets d'une belle calade* qu'il ne faut quitter qu'à
0 h 35 lorsqu'elle se transforme en étroit sentier grimpant le long du lit du ruisseau. Se diriger Nord Est vers la ligne électrique jalonnant une route goudronnée. Arriver à la patte d'oie, s'engager dans le chemin du milieu montant entre les villas.
0 h 55 Ce chemin cimenté aboutit à un col, où à côté d'une croix votive, située à 30 m à gauche, a été élevé un mémorial à Humbert Rigolfi. Traverser la route, prendre le sentier en face du point d'arrivée et continuer à monter en pente légère parallèlement à cette voie, sur le flanc Ouest de la colline.
1 h 15 Chapelle St Joseph. Ruines de Châteauneuf. Le temps de visite n'est pas compté ici. Le retour s'effectue par le même chemin que l'aller pour arriver à Tourette-Levens à **2 h 20**.

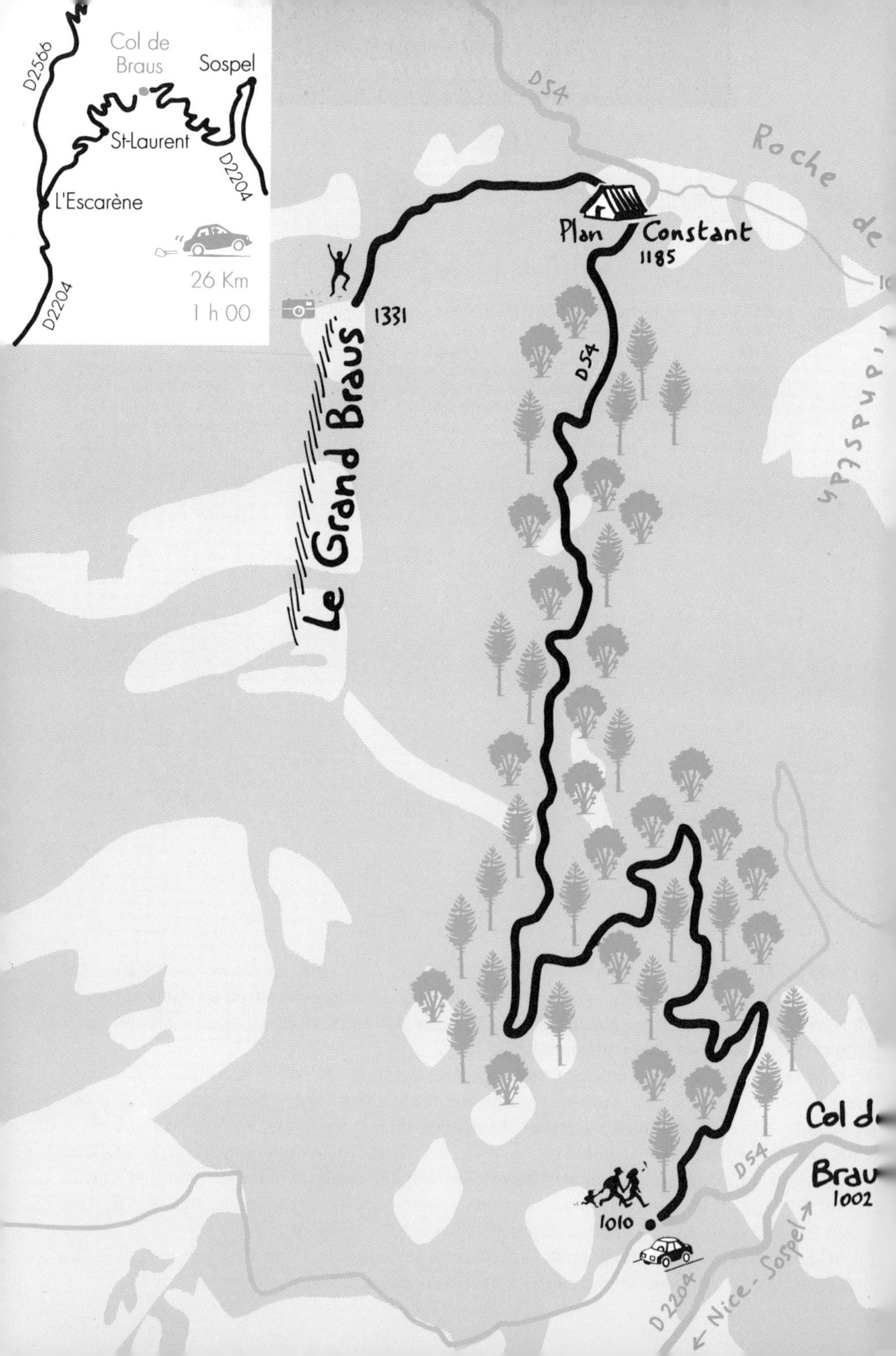

Col de
Braus
Sospel
D2566
St-Laurent
D2204
L'Escarène
D2204
26 Km
1 h 00
D54
Plan
Constant
1185
1331
Le Grand Braus
D54
Col de
Braus
1002
D54
1010
D2204
Nice - Sospel

5 - Le Grand Braus 

 Carrefour D2204/D54, 500 m avant le Col de Braus, 1000 m

 1331 m - 331 m

 1 h 20

 1 h 10

Sans

La route d'accès jusqu'au Col de Braus constitue à elle seule un circuit touristique très attrayant. La forêt du Braus peuplée de feuillus et de conifères est la sylve typique des ubacs du pays.

 Du sommet du Brauss la vue s'étale vers la mer sur tout le Comté de Nice. Si l'on jumelle cette randonnée avec celle du Ventabren n°18 (0 h 40) qui se déroule juste de l'autre côté du Col de Braus la perspective sur la partie Nord de la contrée complète le tour d'horizon total du Pays niçois et meuble toute une journée.

 Restaurant au Col de Braus.

h 00 Partir à droite, en montant, sur la D54. A la bifurcation avec une voie empierrée, négliger elle-ci et continuer sur la route goudronnée qui grimpe en lacet.

h 30 la voie devenant presque rectiligne arrive à

h 50 au "Plan Constant" marqué par un poteau indicateur à côté d'un abri maçonné. Quitter la oute en empruntant la voie carrossable à gauche et le long de l'abri en montant.

épasser les vestiges d'un grand enclos de pierres sèches sur la droite. Après l'enclos, bandonner le large chemin pour partir à gauche, sur un sentier mal tracé qui grimpe vers la rête. Une fois sur cette dernière se diriger vers son point le plus haut qui est la cime du Grand raus, 1331 m.

h 20 Panorama extraordinairement étendu de l'Est à l'Ouest sur le Pays niçois. Revenir au Plan Constant" et par la D54 au point de départ.

h 30 Parking.

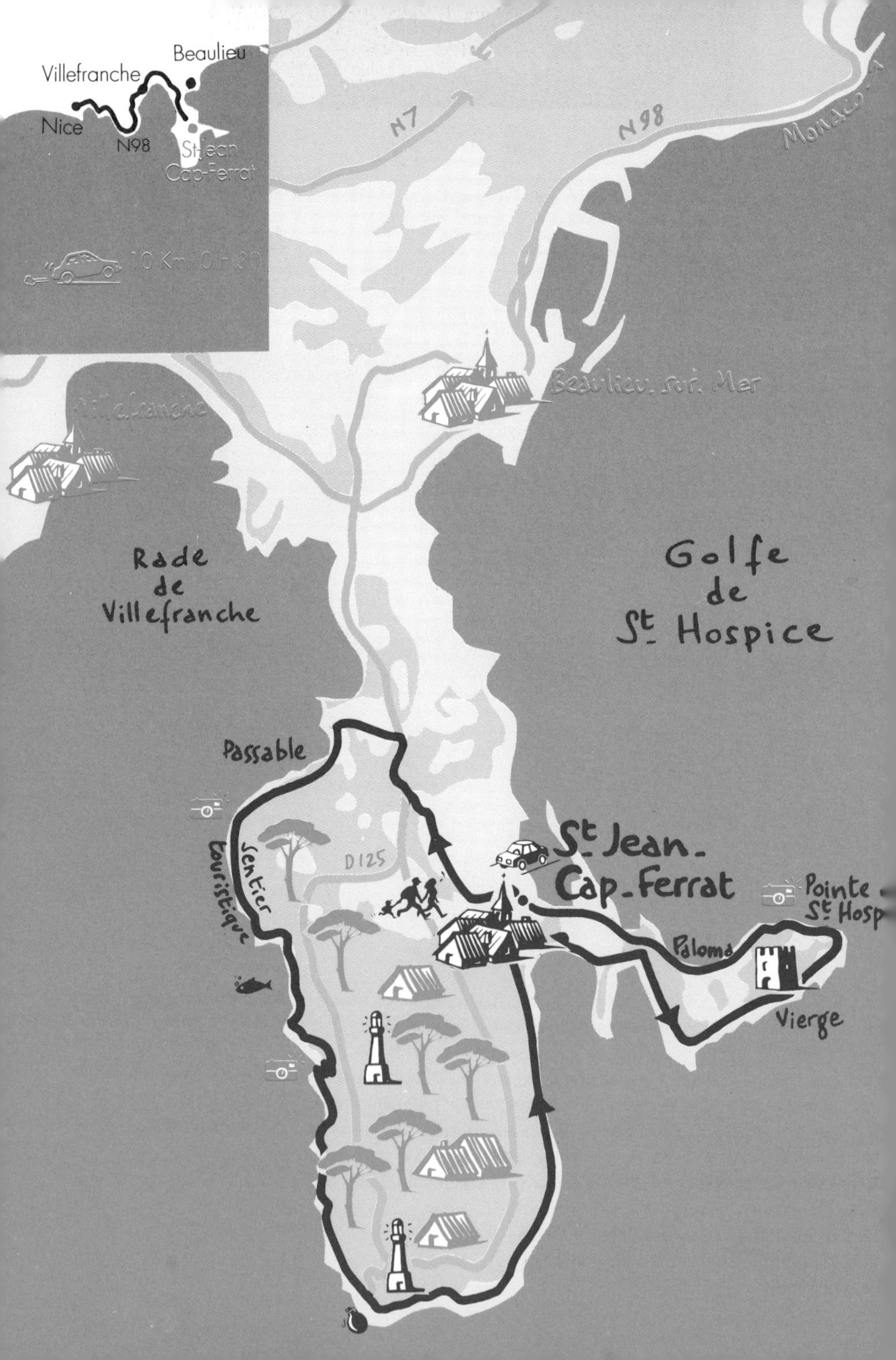
Beaulieu
Villefranche
Nice
N98
St Jean
Cap-Ferrat
10 Km 0 h 30
N7
N98
Monaco
Beaulieu sur Mer
Villefranche
Rade
de
Villefranche
Golfe
de
St Hospice
Passable
Sentier
touristique
D125
St Jean
Cap Ferrat
Pointe
St Hosp
Paloma
Vierge

6 - Le Tour du Cap Ferrat

 Port de St Jean de Cap Ferrat, 10 m  30 m - 30 m

 1 h 20  1 h 20  Sans

Saint Jean de Cap Ferrat : ce petit hameau de pêcheurs au siècle dernier est devenu un site touristique des plus importants de la Côte d'Azur grâce à son musée Ephrusi de Rothschlid, son parc zoologique avec vivarium de reptiles et de papillons, les jardins de la Villa des Cèdres (où plus de 20 000 espèces végétales sont cultivées), la tour de St Hospice flanquée de sa géante madone de bronze, le phare (un des plus modernes de France), les nombreuses résidences estivales et enfin son port de plaisance et de pêche.

La promenade proposée du Tour du Cap permet de jouir d'amples vues à l'Ouest sur le Cap de Nice et la Baie des Anges, sur la rade de Villefranche, à l'Est sur le Cap d'Ail et le Rocher de Monaco.

Hôtels, restaurants, commerces à St Jean.

0 h 00 Du port, prendre l'avenue Denis Semeria, vers Nice, jusqu'à l'Office du tourisme. Descendre les escaliers à gauche du kiosque. Poursuivre par le chemin "Villa Port Miou" ; arrivé au parking, sortir par le bas de celui-ci.

0 h 10 Longer la plage de "Passable". S'engager sur le "Chemin du Roy". Dans un virage en épingle à cheveux, abandonner ce chemin pour partir à droite en suivant la flèche Parking. Emprunter alors le "Sentier Touristique" au poteau indicateur, et ne plus le quitter jusqu'au phare.

1 h 00 Phare (on peut trouver de l'eau potable à la fontaine située dans la cour de cet édifice accessible par les escaliers de gauche). Contourner le phare côté mer et continuer à longer celle-ci. Traverser l'ancienne carrière en laissant à droite les piles d'un ancien appontement, en restant sur la route.

1 h 30 Au débouché de l'avenue Claude Vignon, tourner à droite dans la rue de la Puncia, puis encore à droite pour arriver sur la plage des Fossettes (borne fontaine-eau potable) continuer sur le "Sentier Touristique" qui longe la côte, en faisant ainsi le tour de la pointe de St Hospice.

2 h 15 A la plage Paloma, sortir sur la route du Saint Hospice à prendre à droite pour retourner au port et y arriver à **2 h 25.**

11 Km 0 h 30
Col d'Eze
D2564
Eze
N7
Nice
Monaco →
A8
Col d'Eze
Plateau de la Justice
Monaco
Nice
Usine
Parc Dal de la Justice
Eze
D2564
645
Mont Leuse
N7
Univ. Can.
370
Col des 4 Chemins
N98
Eze →
N7
Nice
N98
Beaulieu.sur.Mer
Villefranche
Cap Ferrat

7 - Le Plateau de la Justice

Entrée du Plateau de la Justice D2564,
500 m avant le Col d'Eze, 500 m

577 m - 240 m

1 h 50

0 h 50

Jaune pour grimper au
sommet du Mont Leuze

Ce parcours ménage de très belles échappées sur la ville de Nice et l'Ouest de la région. Du Mont Leuze, atteint par l'antique voie romaine Via Aurélia, un très ample panorama s'étale sur la Riviera française, avec une vue très aérienne du Cap Ferrat.

Restaurants au Col D'Eze, au Col des 4 Chemins et au Belvédère d'Eze.

0 h 00 Prendre la route qui descend vers l'usine de traitement des ordures ménagères de Villefranche, à gauche, après la station service. Dépasser l'entrée de l'usine de traitement et franchir la barrière O.N.F.* clôturant la route stratégique. La voie surplombe le Vallon de l'Oïli. Après un passage sous deux lignes T.H.T.* : magnifique vue sur Nice, Observatoire du Mont Gros, Baie des Anges, aéroport, Cap d'Antibes et massif de l'Esterel.
1 h 00 Une barrière O.N.F. indique la fin de la route stratégique. Continuer tout droit sur la route revêtue jusqu'au Col des 4 Chemins
1 h 25 Arriver au col. Remonter à gauche la D2564 sur 100 pas, et s'engager à gauche sur le Chemin du Mont Leuze. Suivre les lacets de cette voie revêtue, (il s'agit de l'ancienne Via Aurélia) en négligeant les entrées latérales vers des villas enfouies sous les pins. Laisser à droite l'entrée de l'Université Canadienne de France, et continuer à monter. La route se rétrécit, passe sous une ligne T.H.T. Dépasser le centre hippique, tourner à droite après le chenil, en se dirigeant vers les antennes télécom.
1 h 40 Après le second pilier en béton, le long d'une clôture grillagée, prendre en face un mauvais sentier qui s'enfonce sous les chênes verts, montant vers le sommet du Mont Leuze. Un cairn au bord de la route indique le départ et un vieux balisage jaune jalonne le chemin jusqu'au sommet atteint à
1 h 50. Panorama sur la presqu'île du Cap Ferrat et signal géodésique de l'I.G.N.*. Revenir à la bifurcation suivant le chenil et partir à droite sur la route goudronnée qui traverse le Plateau de la Justice, en laissant sur la gauche trois antennes successives couronnant des monticules.
2 h 40 Parking.

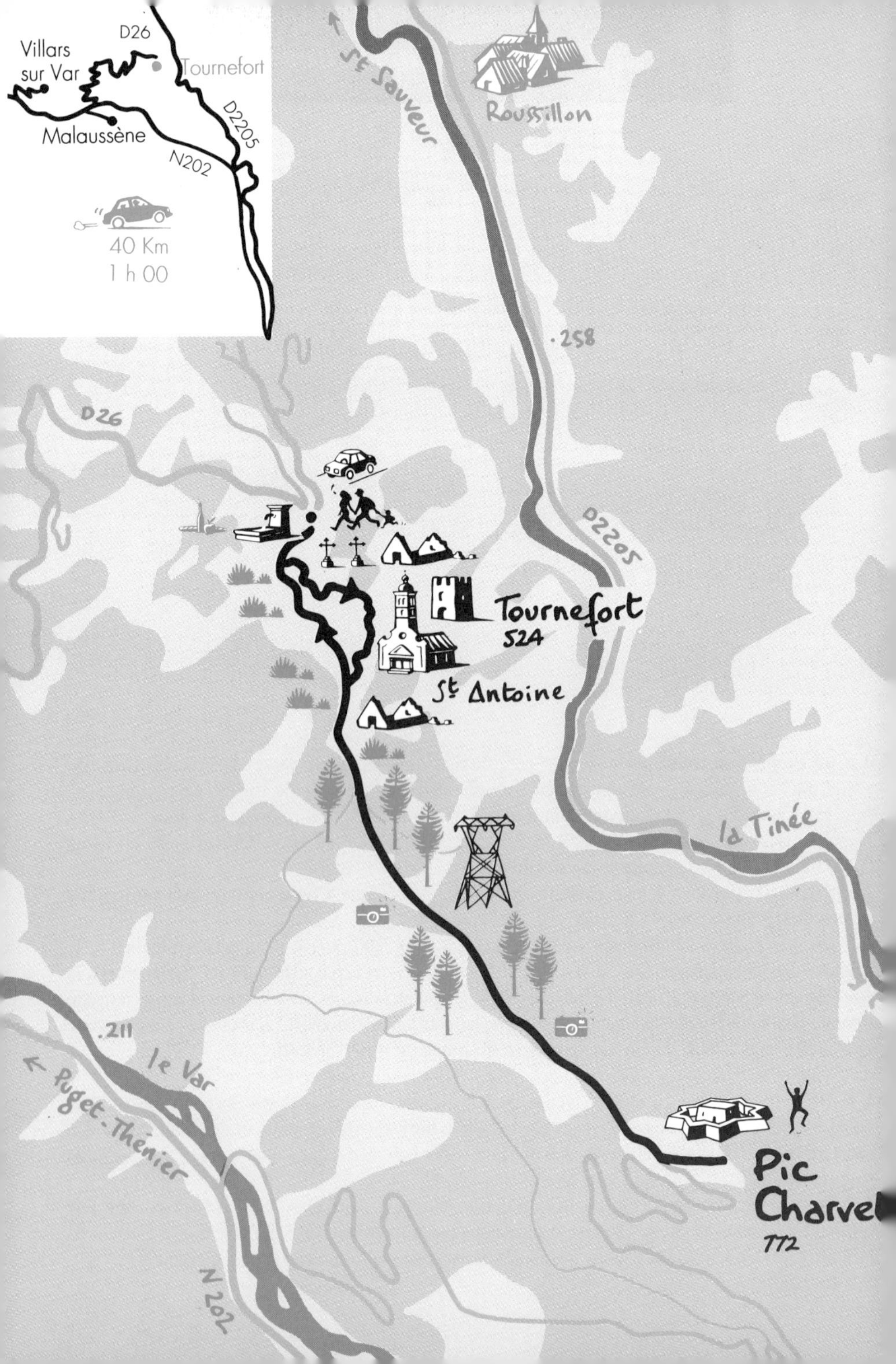

Villars sur Var
D26
Tournefort
D2205
Malaussène
N202
40 Km
1 h 00
St Sauveur
Roussillon
.258
D26
D2205
Tournefort
524
St Antoine
la Tinée
.211
le Var
Puget. Thénier
N 202
Pic Charvel
772

8 - Le Fort du Pic Charvet 

 Tournefort entrée du village, à côté de la fontaine, 524 m

1 h 25 — 1 h 15

 Le Fort du Pic Charvet couronne le promontoire qui domine les vallées de la Tinée et du Var à leur confluent à La Mescla.

 Le chemin, en pleine garrigue méditerranéenne, est bordé de pistachiers térébinthes (feuilles avec des folioles en nombre impair) et de genévriers cades (oxycèdres).

 724 m - 310 m

 Jaune

 C'est dire toute l'ampleur du panorama qui se dévoile depuis ses glacis*. Un très agréable chemin, mi-calade*, mi-sentier permet d'y accéder à peu près constamment sous bois, sauf au début, pour aller au vieux village abandonné.

 Pas de commerces ni de restaurant, mais bel emplacement de pique-nique avec tables et bancs à la sortie du village sur la D26 à gauche de la route.

0 h 00 Du poteau jalon 181, près de la fontaine à l'entrée du village, monter en suivant la direction “Pic Charvet - Vieux Village - La Courbaisse”. Dépasser l'aire de jeu de boules, suivie d'un calvaire. **0 h 05** Poteau 176, prendre à gauche la route cimentée vers Vieux Village. Aux 2 bifurcations qui suivent aller à droite chaque fois. **0 h 10** Passage entre un calvaire à droite et un ancien lavoir à gauche. Le ciment disparaît du sol et la calade* lui succède. **0 h 15** Une ruine se dresse à droite dans une bifurcation. Virer à gauche vers la chapelle St Antoine. **0 h 20** Chapelle. De là, prendre le chemin de gauche (en tournant le dos à la chapelle) il domine la vallée de la Tinée et contourne le mamelon sur lequel était édifié le château. Arrivé à Vieux Village, passer devant l'église et le cimetière, et descendre à droite, vers un poteau balise planté à l'entrée d'une ruine dont le linteau sculpté porte la date de 1895. En suivant les marques jaunes contourner cette ruine et dégringoler précautionneusement dans un mauvais passage très herbeux, se méfier des chutes de pierres et de celles qui sont au sol. Quelques restanques* témoins de l'activité agricole passée, sont encore plantées d'oliviers revenus à l'état sauvage. **0 h 30** Poteau 177 à côté d'une ruine, dans une petite baisse*. Suivre à gauche la direction “Les Claus - Pic Charvet - La Courbaisse”, en pénétrant sous un couvert de pins. On remarque des petits espaces plantés de graminées destinées à nourrir le gibier qui désertait la campagne maintenant sans cultures. **0 h 35** Après avoir dépassé une nouvelle baisse, arriver au poteau 178. Prendre à gauche le sentier montant directement vers le Pic Charvet, car le “Circuit du Pic Charvet” n'offre aucun intérêt, il chemine en zone désertique , puis emprunte la route stratégique, longue et fastidieuse, pour monter au fort. Atteindre la ligne de crête à **0 h 55**. Si ce parcours s'effectue entre mi-juin et mi-juillet, un foisonnement de fleurs de toutes natures décore le sentier et attire des centaines de papillons de toutes espèces. **1 h 20** En arrivant dans une petite baisse de la ligne de crête, le regard plonge à droite dans la vallée du Var et à gauche dans celle de la Tinée, en un panorama absolument unique. Attaquer la dernière montée vers le fort pour déboucher à **1 h 25** sur l'un des glacis* où se trouvent des vestiges de casernement, poteau balise 180. Le fort se situe un peu plus loin à gauche dissimulé sous la végétation qui le recouvre depuis 1945. L'entrée en est cadenassée. **1 h 35** Retour par le même chemin que l'aller, direction Tournefort. Eviter la direction “La Courbaisse”. **2 h 20** Au poteau 177, laisser à gauche le sentier descendant de Vieux Village, pour prendre celui de droite direct vers Tournefort. **2 h 30** Négliger le chemin de droite qui monte également à Vieux Village, pour continuer à gauche. **2 h 40** Tournefort.

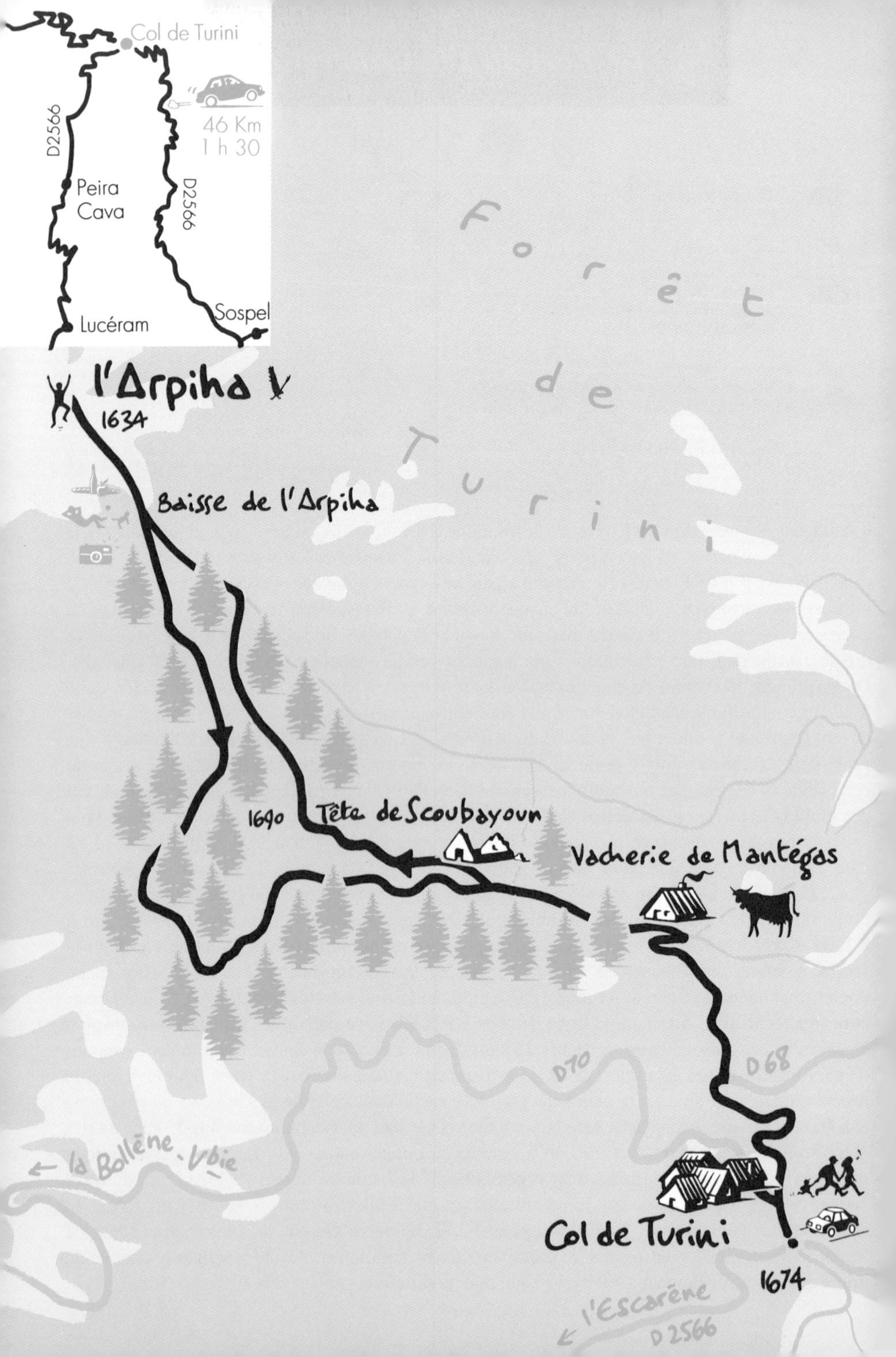

Col de Turini
46 Km
1 h 30
D2566
Peira Cava
D2566
Sospel
Lucéram
Forêt de Turini
l'Arpiha
1634
Baisse de l'Arpiha
1690
Tête de Scoubayoun
Vacherie de Mantégas
D70
D68
la Bollène-Vésubie
Col de Turini
1674
l'Escarène
D2566

9 - L'Arpiha

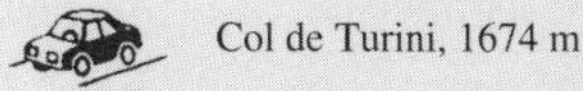 Col de Turini, 1674 m

 1690 m - 100 m

 1 h 20

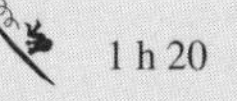 1 h 20

 Jaune

 Hôtels, restaurants au col de Turini et à Peira Cava.

C'est déjà le contact avec le Haut Pays et ses profondes forêts de sapins, d'épicéas et de mélèzes, qui commence ici. L'hiver champs de neige offerts aux joies de la glisse, l'été point de départ de randonnées multiples, mais aussi lieu de villégiature avec Peira Cava. Ce centre doit son nom aux vestiges de puits de glace (d'où son nom de pierre creuse) qui alimentaient autrefois en plein été la ville de Nice en glace vive conservée dans ces puits depuis le plein hiver. Lieu de séjour d'été et de sports d'hiver.

0 h 00 Partant du Col de Turini, s'engager sur la route du "Camp d'Argent". Dans le fond d'une longue boucle prendre à gauche la piste forestière fermée par une barrière O.N.F.*, poteau 234. S'élever sur la piste qui conduit aux granges de Mantégas.

0 h 15 Prendre le sentier qui monte à droite, au poteau jalon 235. Devant les granges, partir à gauche direction de l'Arpiha. Le sentier étroit mais bien tracé et balisé jaune, arrive à la cote 1648. Rester sur le versant Nord du Scoubayoun en suivant le sentier de droite orienté Nord Est. Une succession de petites descentes mène à

1 h 00 à la baisse* de l'Arpiha, cote 1550. Grimper au sommet de l'Arpiha cotation 2 et 3.

1 h 20 Sommet cote 1634. Revenir à la Baisse de l'Arpiha et au poteau 236 s'engager à droite en montant et suivre ce sentier sans s'écarter des balises jaunes. Le parcours assez long monte en pentes douces successives.

2 h 20 Rencontre à la cote 1648 du sentier pris à l'aller en quittant les granges de Mantégas. Rejoindre ces granges et reprendre à rebours direction Sud le sentier descendant sur la voie forestière. Puis par la route arriver au Col de Turini à **2 h 40**.

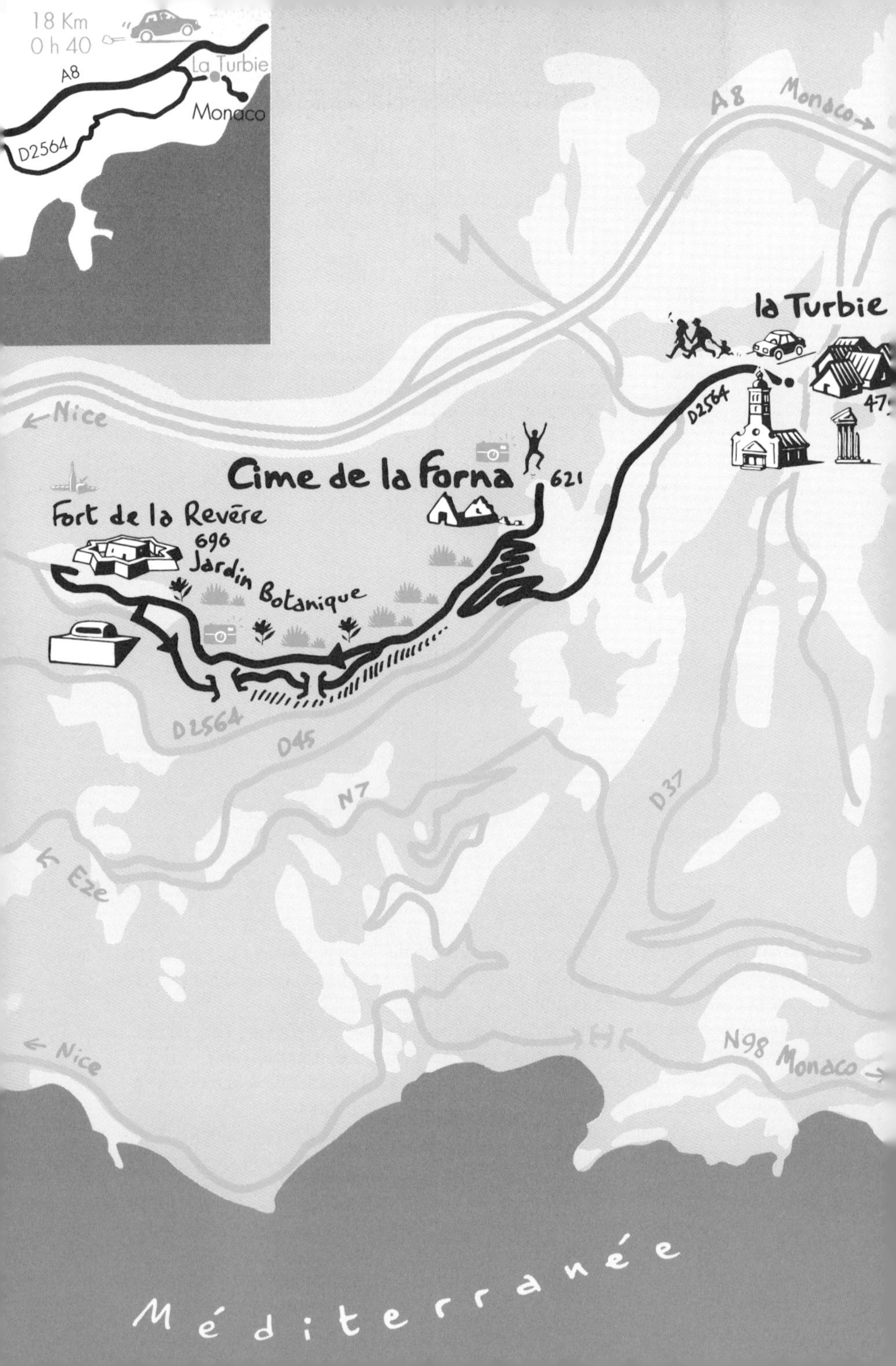
18 Km
0 h 40
A8
La Turbie
Monaco
D2564
A8
Monaco
la Turbie
D2564
Nice
Cime de la Forna
621
Fort de la Revère
696
Jardin Botanique
D2564
D45
N7
D37
Eze
Nice
N98
Monaco
Méditerranée

10 - Cime de la Forma

 La Turbie,
Place Th.de Bainville, 470 m

 621 m - 200 m

 1 h 35  1 h 20

 Rouge

 Très belles vues panoramiques et aériennes sur la Riviéra française, jusqu'à la Riviera italienne.

 Jardin botanique méditerranéen.

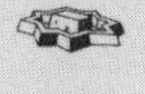 Fort de la Revère où durant la dernière guerre furent internés les aviateurs alliés capturés après la chute de leur appareil. Des évasions spectaculaires provoquèrent la fermeture du fort et le transfert des prisonniers restants.

 Restaurants, hôtels et commerces à La Turbie.

Pour les détails sur le village de La Turbie, voir balade n°1 Le Mont de la Bataille.
Parc Départemental de la Grande Corniche. Ne pas fumer ni faire du feu.

0 h 00 Partir sur la D2564 en direction de Nice.
0 h 10 100 m avant la bifurcation avec la D45 qui descend à gauche, s'engager sur la voie stratégique montant à droite et interdite à la circulation automobile.
0 h 25 Franchir la 2ème barrière O.N.F.*. Le sentier qui s'amorce à droite, dans le premier lacet, ne conduit qu'à des casemates abandonnées.
0 h 40 Déboucher sur la route de crête, non goudronnée, aller à droite.
A travers ouvrages et rochers suivre l'inscription rouge "Départ Sentier" et les balises rouges.
Le chemin revient parallèle à la route militaire, en contrebas sur le flanc Ouest du plateau.
1 h 05 Ressortir sur la route.
1 h 10 Monter à gauche pour le sentier botanique, qui rejoint la route stratégique un peu plus loin, sur laquelle il faut se diriger, à droite, vers le Fort de la Revère.
1 h 35 Aller sur l'esplanade de la fortification.
Le retour s'effectue par la route militaire après visite à l'ancienne batterie Sud qui émerge à gauche. La route passe sous deux tunnels et conduit au point de départ rejoint à **2 h 55**.

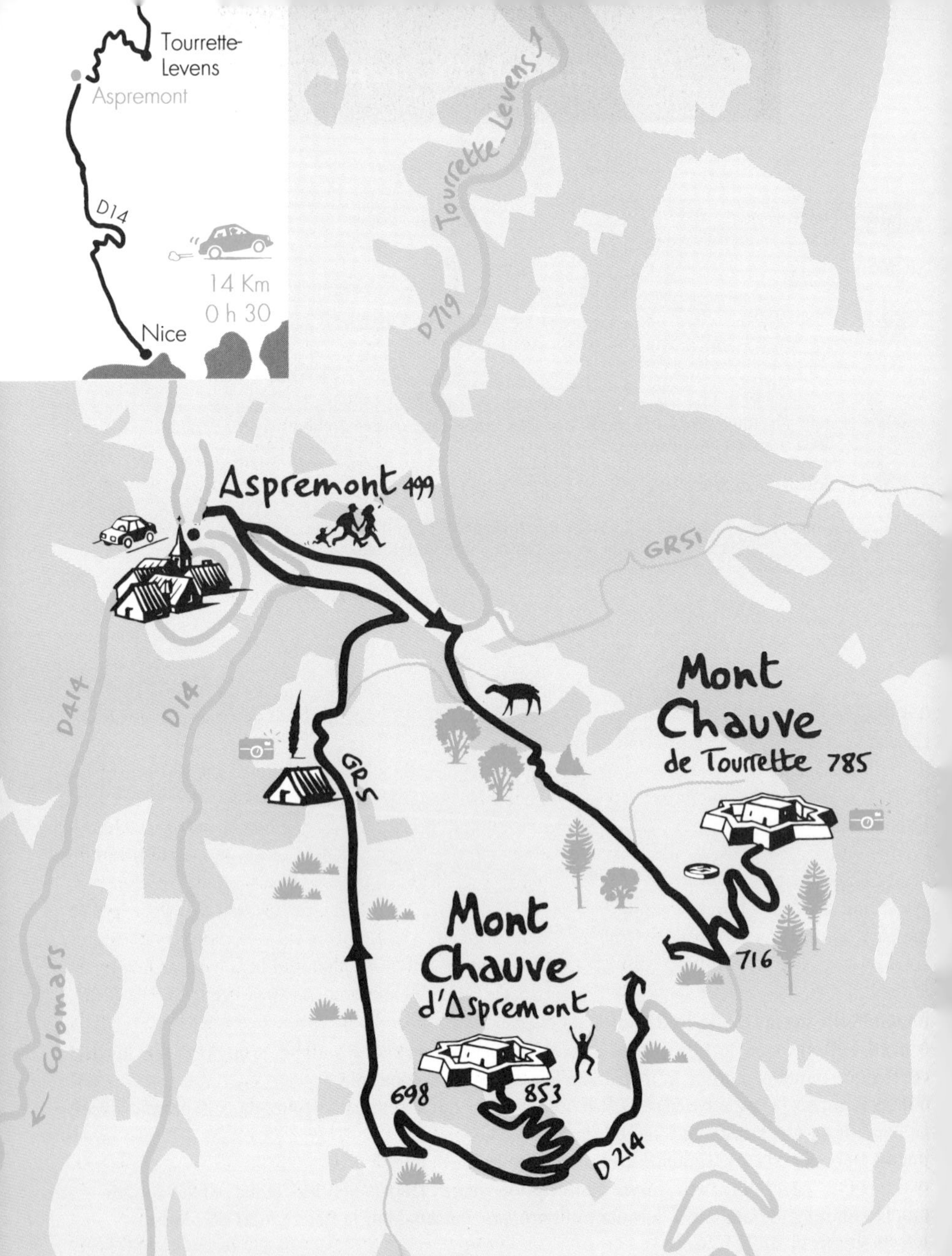
Tourrette-
Levens
Aspremont
D14
14 Km
0 h 30
Nice
Tourrette_Levens
D719
Aspremont 499
GR51
D414
D14
GR5
Mont
Chauve
de Tourrette 785
Mont
Chauve
d'Aspremont
716
698
853
D214
Colomars
GR5
Nice
376

11 - Les Monts Chauves

Aspremont entrée du Village, 499 m

843 m - 350 m

1 h 25

1 h 35

Couleurs multiples

Les forts des deux Monts Chauves, celui de Tourettes, le plus à l'Est de la Baisse de Guigo, aujourd'hui détruit, et celui d'Aspremont, qui couronne l'autre sommet, terminaient la ligne d'appui de la défense côtière depuis Ste Agnès jusqu'à Nice. Ces points d'horizon constituent les meilleurs points de vues panoramiques de la Côte d'Azur.

Côté ubac*, peuplement de feuillus : érables, chênes blancs, ormeaux, charmes houblons puis, en montant pins sylvestres et mésogéens, avec en sous-bois la garrigue provençale : chênes kermès, chênes verts, genévriers et cades, cistes, genêts, ainsi que tout ce petit monde de plantes rases comme le thym, la sariette, les orchis, crocus qui tapissent totalement le versant adret* donnant aux 2 monts leur qualificatif de Chauves.

0 h 00 Quitter le parking en prenant la route de Nice par Levens D719 à suivre jusqu'à **0 h 10**. Laisser à gauche la route qui monte au restaurant "La Cima" ; dépasser la villa N°746 et au coin de celle-ci tourner à gauche en rencontrant les balises du GR 51 (blanc-rouge). Lieu-dit La Prairie. A hauteur des garages, partir à gauche. **0 h 20** Monter à droite des villas N° 119 et 125. Eviter, un peu plus loin, la voie de gauche allant vers une bergerie. Un rocher porte une balise orange sur le sentier de droite qu'il faut emprunter en montant. **0 h 25** Eviter le raidillon de droite qui n'est qu'un raccourci du vrai chemin gravissant la pente en lacet, plus facile et plus douce, qu'il faut reprendre chaque fois qu'on le peut. **0 h 45** Négliger la large piste qui part à gauche, continuer tout droit. **0 h 50** Le tronc d'un pin sectionné porte des balises circulaires superposées blanc-rouge-blanc, limites de forêt domaniale. 50 m plus loin la Baisse de Guigo est atteinte. Descendre vers la patte d'oie de voies carrossables marquée par une borne de D.F.C.I.*. Monter sur la voie de gauche, dépasser la citerne et atteindre le sommet et les vestiges du fort du Mont Chauve de Tourettes. Revenir à la patte d'oie. **1 h 05** Partir à droite sur la route qui conduit à un tunnel (qui autrefois faisait communiquer les 2 forts entre eux). Le traverser, et attaquer la montée du Mont Chauve d'Aspremont par la route grimpant sur son flanc. **1 h 35** Longer le premier parapet du fort en partant à gauche, puis suivre les grilles de protection jusqu'aux antennes de télécom. **1 h 40** Descendre sur la route goudronnée. Partir à droite sur cette voie. Après quelques lacets en arrivant sous la ligne H.T.*, prendre à droite la route empierrée. **2 h 00** Dans un virage, une autre route se branche à droite, la négliger. S'engager sur le sentier qui de là descend vers une ruine en contrebas. Contourner celle-ci pour rencontrer un sentier bien tracé, le GR 5 (blanc-rouge), à prendre à droite. Dépasser une ruine flanquée d'un cyprès au bord du chemin. **2 h 10** Laisser de côté les vestiges d'une grande bastide. **2 h 25** A gauche apparaît le village d'Aspremont enroulé autour du Mont Aspre. **2 h 45** Le GR 5 rencontre le GR 51. Partir à gauche vers Aspremont en suivant les GR qui ensemble arrivent à **2 h 55** au village.

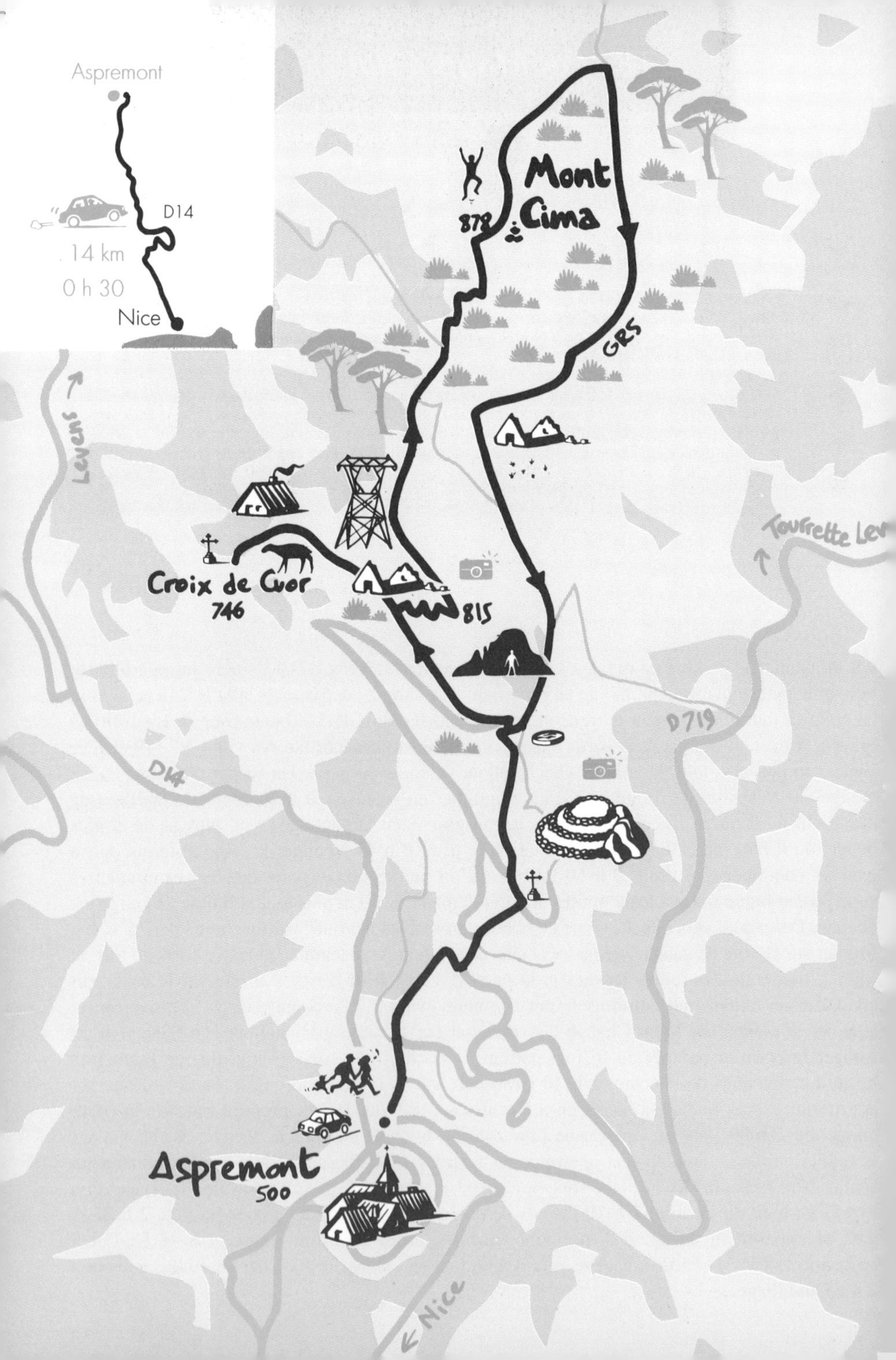
Aspremont
D14
14 km
0 h 30
Nice
Mont Cima
878
GRS
Levens
Croix de Cuor
746
815
Tourrette Lev
D719
D14
Aspremont
500
Nice

12 - Le Mont Cima, La Vieille Ville D'Aspremont

 Aspremont, entrée du village, 499 m  878 m - 550 m

 2 h 00  1 h 40  Divers

 Aspremont, un des villages perchés en "sentinelles" le long du fleuve Var. Traditionnellement bâti sur un plan concentrique, il vaut qu'on s'y attarde un peu : église gothique des 13 et 16ème siècles (assez rare dans la contrée), fresques, toiles et retable. Château ruiné. Les ruines médiévales de Vieille Ville qui dominent le site, la grotte Balma d'Arèna (grotte du sable), l'oppidum du Château d'Eau attestent d'une très lointaine occupation par l'homme. Le GR 5 et le GR 51 s'y croisent. Plus bas, côté Var, les "canyons" creusés profondément par l'érosion dans la couche alluvionnaire, réservent de belles trouvailles.

 Les vues panoramiques découvertes au cours de la randonnée proposée sont absolument uniques.

 Hôtels, restaurants, commerces à Aspremont.

0 h 00 Prendre le GR 5 (blanc-rouge) en suivant la montée "Cdt Gérome", en partant de la mairie. **0 h 10** Débouchant sur une route goudronnée partir à gauche et prendre à droite, 50 m plus loin, la calade* qui monte Nord. **0 h 15** Passer au pied d'un rocher planté d'une croix en bois. **0 h 25** Laisser à droite le club canin, et contourner une ruine pour revenir sur la route revêtue. Abandonner le GR et s'engager à gauche sur une large route de terre. **0 h 40** A hauteur d'une barrière "propriété privée", avant la bergerie, traverser les prés à gauche, pour trouver un sentier balisé jaune qui monte le remblai couronné de ce qui fut le socle de la Croix de Cuore. Premier point de vue sur la basse vallée du Var. Revenir à la barrière, et rebrousser chemin sur 175 pas. Là escalader le talus de gauche et suivre les marques oranges en s'élevant vers les ruines de Vieille Ville atteintes à **1 h 15**. Second point de vue. Cheminer au milieu des vestiges de la cité, en se dirigeant vers l'Ouest. Descendre sur la face Nord-Ouest. et suivre en contrebas et parallèlement, la ligne de crête par le sentier balisé orange. Arrivé sur la croupe faisant suite à des rochers hérissant la crête, aller vers le pylône de la ligne T.H.T.* planté dans une petite baisse*. Au pied de celui-ci, prendre le large chemin qui monte à gauche vers le Nord sans se préoccuper des marques de différentes couleurs allant dans d'autres directions. **1 h 55** A la bifurcation, sur un plat, quitter le chemin et gravir le mont Cima hors sentier. **2 h 00** Sommet et borne I.G.N.* alt. 878 m. Panorama exceptionnel. Descendre en suivant la crête côté Nord pour, à **2 h 25**, trouver le GR 5 (blanc-rouge) à hauteur d'un gros pin. Prendre le GR en tournant à droite (Sud), il monte en pente légère et régulière. **2 h 45** En laissant une ruine à gauche, patauger dans des suintements boueux. Traverser un ravineau et monter vers la route goudronnée plantée de la ligne électrique T.H.T.*. Continuer à gauche sur la route. **3 h 05** Club canin. En s'écartant du GR, partir à gauche du champ du club et par la route de terre en quelques minutes aller jusqu'au sommet de la colline d'où une belle perspective sur Aspremont et à côté du château d'eau, ruines d'un oppidum et d'un château médiéval. Revenir au club canin pour reprendre le GR qui ramène à Aspremont à **3 h 40** par le même chemin qu'à l'aller.

47 Km 1 h 00
Gorbio
D50
Menton
Roq.
A8
D2564
Monaco
1179 Cime de Baudon
Col de la Madone de Gorbio
925
D22
Ravin du Ray
Cime de Gorbio
928
Ravin du Rank
791
Col de Bausson
Ste Agn
680
D22
D22
Source de Romin
GR51
St Lazare
D23
Gorbio
376
A8
Menton
D50
Roquebrune
Mont Agel
1448

13 - Gorbio - Ste Agnès - Gorbio

 Gorbio, Place des Victoires, 359 m
620 m

 925 m

 2 h 15

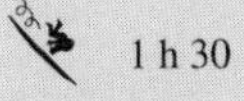 1 h 30

 Bleu puis Blanc-Rouge

Gorbio, village perché sur un éperon, est très ancien. Ses maisons, reliées par des pontis* possèdent un charme rétro indéniable. Un orme géant (5,60 m de circonférence) y a été planté en 1713. L'église baroque contient de beaux tableaux des 17 et 18ème. Le Col de la Madone est marqué par un oratoire dont la statue est curieusement composée d'éclats de bombes et d'obus. Ste Agnès, citée médiévale aux ruelles enchevêtrées sous les pontis, présente les porches de ses maisons en plein cintre ou en ogive du plus heureux effet. Son église date du 18ème avec fronton triangulaire d'inspiration grecque. Les ruines du château du prince sarrasin "Haroun El Rachid" (Haroun le Généreux) couronnent le rocher dressé derrière le village qui conserve encore un fort stratégiquement bien placé.

 Restaurants, commerces à Ste Agnès et à Gorbio, hôtels à Menton.

0 h 00 Sortir de la Place des Victoires et s'engager à gauche sur le chemin "Col de la Madone". D'abord cimenté, il se transforme en calade* et s'élève progressivement, balisé bleu.

0 h 10 Laisser à gauche le Chemin des Cabanelles. En se rétrécissant le pavage de l'assiette du chemin disparaît.

0 h 35 Source de Romin. S'élever toujours, rive droite du vallon du Rank dans un peuplement de pins sylvestres.

1 h 00 Passer rive gauche pour ensuite revenir rive droite.

1 h 25 Col de la Madone. Prendre la D22 à droite, en légère descente, la suivre sur 1,8 km et à la borne km 13, l'abandonner pour monter à gauche dans un sentier en lacet.

2 h 15 Franchir le petit Col de Bausson. Descendre sur le flanc Est, assez raidement d'abord puis presque horizontalement ensuite. Vue sur Ste Agnès à gauche.

2 h 30 Longer une ruine, et peu après celle-ci monter d'une dizaine de mètres vers trois cyprès, pour sortir sur une route de terre à prendre à droite. Au premier de ses virages en épingle à cheveux, abandonner la voie carrossable pour descendre par le sentier de gauche vers la chapelle St Sébastien au pied du village, à coté de la fontaine.

2 h 40 *Nota : de la chapelle il est possible de monter jusqu'au village (commerces, restaurants, bars) et d'aller visiter les ruines du château "d'Haroun El Rachid" qui le domine (compter 30 mn de plus A.R., temps de visite non compris).* Prendre la D22 Avenue de l'Ormea en direction de Menton jusqu'à la grande courbe qui à 1 Km de là passe au pied d'une antenne de télécom, et de l'Auberge de Ste Agnès. Après les cyprès, descendre à droite dans le Sentier du Doyen Rochard où se rencontrent les balises du GR 51 (blanc-rouge). A la bifurcation rester sur le chemin de droite. A la barrière, partir à gauche.

3 h 30 Passer le ruisseau du Rank sur son vieux pont et monter à Gorbio en dépassant la chapelle St Lazare.

3 h 45 Place des Victoires.

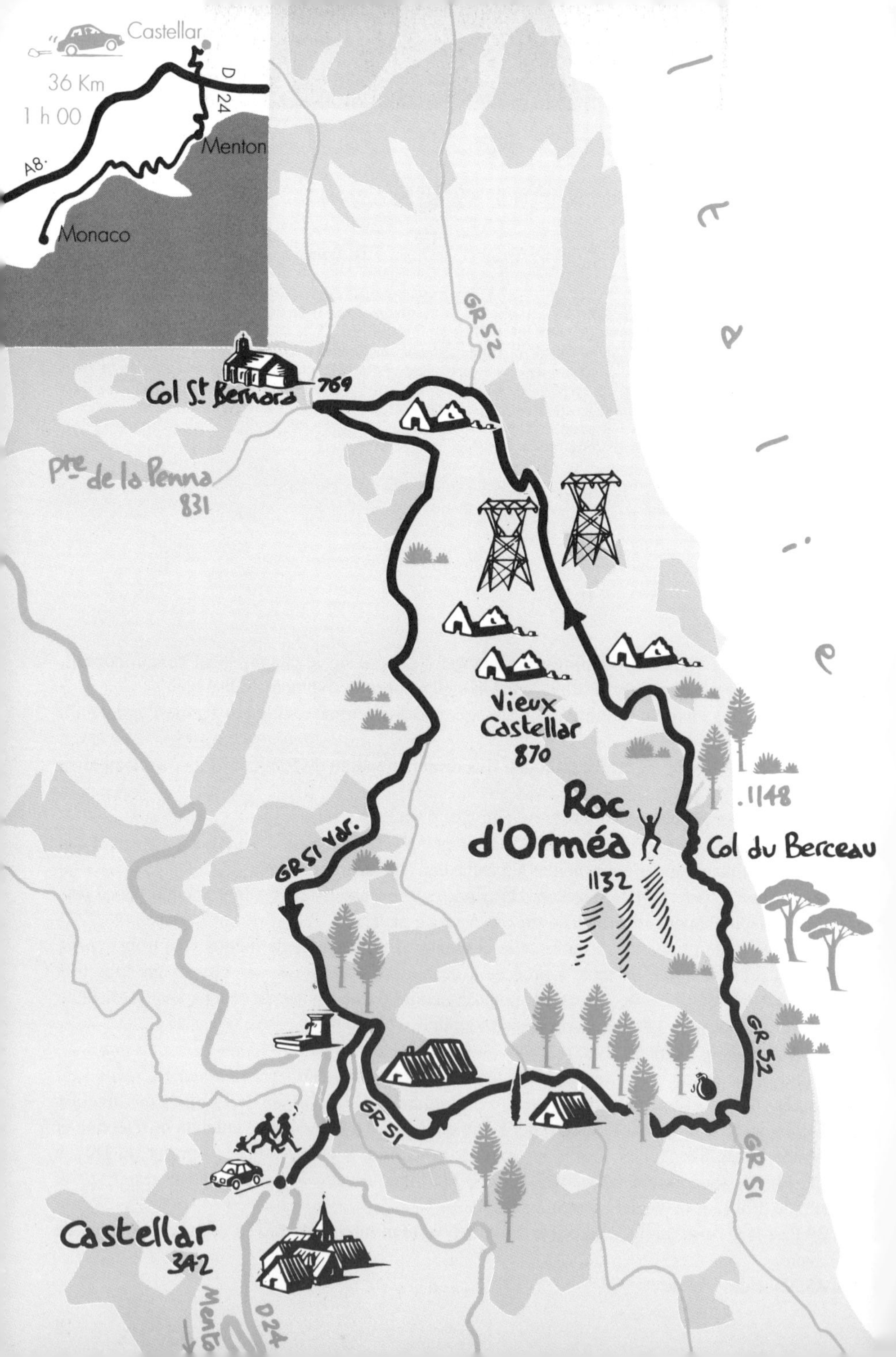

Castellar
36 Km
1 h 00
D 24
Menton
A8
Monaco
Col St Bernard
769
Pte de la Penna
831
GR 52
Italie
Vieux Castellar
870
Roc d'Orméa
1132
.1148
Col du Berceau
GR 51 var.
GR 52
GR 51
GR 51
Castellar
342
D24
Menton

14 - Le Roc D'Orméa

 Castellar, 342 m

 1148 m - 810 m

 2 h 15

 1 h 30

 Blanc-Rouge

 C'est une randonnée sportive, dans un cadre âpre et inattendu si près de la mer. Le village de Castellar a beaucoup de caractère. Siège de la seigneurie des Lascaris-Vintimille Depuis 1468, il est construit avec beaucoup d'ordre et ses maisons anciennes sont séparées de ruelles étroites reliées par de nombreux pontis*. L'église contient une représentation du Rosaire en 15 tableaux. Au pied de l'Ormea la grotte de Pendimoun a livré des documents préhistoriques. Au Plan du Lion les GR 52 et 51 se croisent. Après le Berceau (point haut de la randonnée), les ruines du Vieux Castellar sont enfermées dans une enceinte fortifiée, à gauche du chemin.

 Restaurants à Castellar et hôtels à Menton.

0 h 00 Se diriger vers le cimetière et la Chapelle St Sébastien, en suivant le GR 51 (blanc-rouge). Prendre la voie cimentée s'élevant à droite. **0 h 10** A la fontaine obliquer à droite par le chemin "Plan du Lion et le Berceau". Traverser la route, monter par le sentier de droite. **0 h 15** Longer une petite construction par sa gauche et une 2ème par sa droite, à la 3ème déboucher sur un large chemin carrossable à suivre direction Est. **0 h 30** En passant devant les ruines de deux maisons, poursuivre la route sans tenir compte des balises du GR 52 (blanc-rouge). Une plate-forme de retournement termine le chemin. S'engager sur le sentier balisé blanc-rouge qui monte en lacet derrière le cyprès. **0 h 55** Source d'eau potable. **1 h 00** Croisement des GR 52 et 51 lieu-dit "Plan du Lion". Prendre à gauche le GR 52 qui monte en lacets très raides vers le Berceau (500 m à monter). **2 h 15** Le Berceau, baisse* située entre le Roc D'Orméa à gauche et la cime de Restaud à droite. L'ascension de ces deux sommets se fait en 15 mn chacun aller-retour. (Temps non compté ici). Continuer sur le GR 52 qui descend à travers un bois de pins. Négliger le sentier de droite qui suit une ruine. Arriver sur une voie d'exploitation, la prendre en descendant jusqu'à **2 h 30**. Constructions récentes surmontées à gauche des ruines du Vieux Castellar. **2 h 35** Passer sous la ligne T.H.T.* en laissant les ruines de part et d'autre du chemin. Au gros rocher blanc posé au bord de la voie, prendre à gauche. Après un virage en épingle à cheveux, à 50 m à droite suivre le GR en abandonnant la route carrossable pour continuer en sentier étroit vers une ruine importante. **2 h 45** A cette ruine laisser à droite le GR 52, monter vers "Col de Trétore et Grammondo", pour prendre à gauche à travers les restanques*, en suivant le vieux balisage Blanc-Rouge de l'ancien tracé du GR 52. **2 h 55** Chapelle St-Bernard. Refuge derrière celle-ci. De là un sentier conduit en 15 mn aller-retour, à la "Pointe de la Penna" d'où une vue profonde se prolonge jusqu'à Menton. Descendre sur la route empierrée qui part à gauche de la chapelle en descendant de celle-ci. Vieux balisage bleu et blanc-rouge. Négliger les départs de chemins se greffant sur cette voie. **3 h 35** Fontaine. Reprendre le chemin de l'aller pour arriver à Castellar à **3 h 45**.

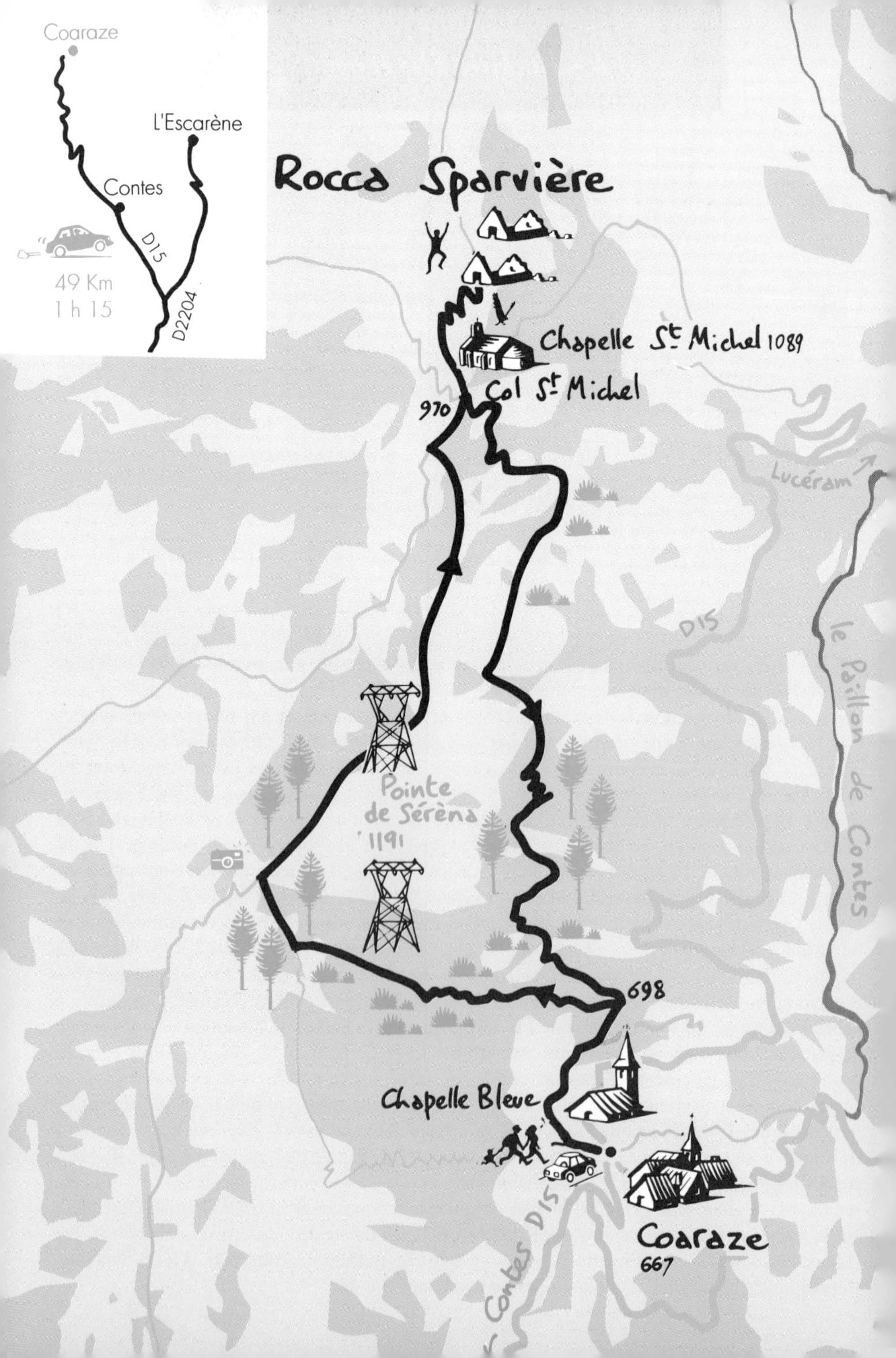

Coaraze
L'Escarène
Contes
D15
D2204
49 Km
1 h 15
Rocca Sparvière
Chapelle St Michel 1089
Col St Michel
970
Lucéram
D15
le Paillon de Contes
Pointe
de Séréna
1191
698
Chapelle Bleue
Coaraze
667
Contes D15

15 - Le Village Médiéval de Rocca Sparvière

 Coaraze, au bas du village, 600 m  1100 m - 500 m

 2 h 15  1 h 40  Bleu-Jaune

Coaraze, le village des cadrans solaires (dont un dû à Jean Cocteau), est le village le plus ensoleillé de la Côte d'Azur.
Hôtels, restaurants, commerces à Coaraze.

0 h 00 Du parking de la place au bas du village, partir sur la route goudronnée en direction de la "Chapelle Bleue". De cette dernière continuer en laissant à gauche une voie carrossable, et des entrées de villas (2 à gauche, 1 à droite). **0 h 15** Au panneau "Forêt Communale de Coaraze", partir à gauche sur la route forestière. **0 h 25** Aire de repos et de retournement. Abandonner la voie forestière pour prendre le sentier balisé bleu-jaune montant en lacet. **0 h 35** Déboucher sur une route forestière, partir à gauche sur celle-ci. Après un virage elle se termine en sentier, à suivre en montant toujours. Sortir sur un large chemin à prendre à gauche. **0 h 40** Jonction avec une nouvelle voie carrossable. Aller à droite sur cette route. Bifurcation, prendre à gauche. Cette route finit en sentier qu'il faut prendre en grimpant, suivant toujours le balisage bleu-jaune en direction d'un pylône T.H.T. Gravir successivement plusieurs petites croupes pour passer sous la ligne T.H.T. à **1 h 05**. Quelques 10 mn plus tard, après un passage horizontal, le sentier atteint la "Baisse de la Minière ou Bouche de Milon", sur la ligne de crête. Partir à droite, le long et en léger contrebas de celle-ci, sous un couvert de pins. **1 h 25** Passage sous la ligne électrique T.H.T. A gauche et plus bas, se dresse la cheminée de l'ancienne mine d'arsenic. **1 h 45** En quittant la ligne de crête le sentier dévale vers une baisse*. Dans celle-ci laisser à gauche le chemin de la mine et par celui de droite, arriver au Col St Michel à **1 h 55**. Prendre à gauche le sentier balisé jaune-bleu qui escalade la Rocca Sparvière pour atteindre la Chapelle St Michel à **2 h 10**. Contourner la chapelle pour aller vers les ruines du village médiéval dit de la Reine Jeanne. Revenir au Col St Michel. Prendre un sentier qui à gauche en descend en pente légère du côté Est, sur la rive droite du ravin du Campon. Aux balises bleues et jaunes s'ajoutent des marques rouges. Franchir un mauvais, mais court passage schisteux. **2 h 35** Passer un clapier* suivi d'une petite montée. Suivre les balises en évitant les départ de sentiers latéraux. **3 h 00** Bifurcation, prendre à droite en montant. **3 h 15** Passage d'une roubine*. Redoubler d'attention en suivant les balises, car deux ou trois mn après il faut tourner à gauche perpendiculairement pour descendre le long de la plus grande pente, dans une pinède où les balises sont marquées sur les arbres et au sol. **3 h 20** Obliquer à droite, le sentier amorce sa descente vers le fond du Riou Fred. Les derniers mètres sont très schisteux mais pas dangereux. **3 h 30** Le Riou Fred est atteint à un point de captage. Enjamber le rocher et descendre de 3 ou 4 m dans le cours d'eau pour trouver le sentier qui sur la droite part horizontalement en couvrant une conduite d'eau. **3 h 35** Eviter le sentier qui monte à droite, également balisé bleu-jaune, pour rester sur le chemin horizontal. **3 h 40** Bifurcation. Abandonner le parcours horizontal pour monter à droite et déboucher sur la route forestière au point passé à l'aller à 0 h 15. Rejoindre Coaraze en partant à gauche pour arriver au parking à **3 h 55**.

26 Km
0 h 45
Menton
A8
Roquebrune
N7
Monaco
Gorbio
A8
Menton
Col de la Coupière
D50
GR51
GR51 A
les Ortas
449
les Brigands
D50
Gorbio
570
Mont Gros
686
510
A8
Roquebrune Cap. Martin
209
78
Cabbé
Menton
N7
Nice, Monaco
Baie de Roquebrune

16 - Le Tour du Mont Gros

Place Briguliano
entrée du village, 200 m

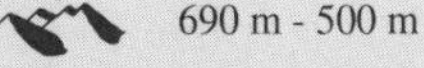

690 m - 500 m

2 h 10

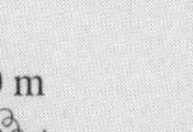

1 h 50

Blanc-Rouge (GR 51)

A Roquebrune Cap Martin : visite du château du 10ème siècle édifié par le comte "Conrad 1er" de Vintimille pour s'opposer aux incursions sarrasines, village médiéval, olivier bi-millénaire réputé comme étant le plus vieil arbre d'Europe. Le 5 août après-midi de chaque année une procession des habitants costumés, renouvelle la Passion du Christ, en exécution d'un voeu prononcé au 15ème siècle lors d'une épidémie de peste. Nombreux restaurants.

0 h 00 Monter par la rue Lascaris en direction du château, et tourner à gauche en prenant le Chemin de Gorbio. Balisage blanc-rouge du GR 51A, qu'il faut suivre jusqu'au Col de la Coupière. Dépasser le terrain de boules et par les escaliers sortir sur une voie goudronnée à suivre, en partant à gauche, sur une cinquantaine de mètres et s'engager à droite, à hauteur du troisième poteau électrique, sur un chemin défoncé au départ mais continuant en belle calade*. Des bans de poudingue bordent le sentier qui serpente dans un bois de pins d'Alep.

0 h 20 Déboucher sur la route de Gorbio "Promenade de la 1ère D.F.L.", puis à gauche emprunter le Chemin des Ortas. Négliger les départs de chemins latéraux y compris celui marqué Chemin des Ortas ; la garrigue succède aux pins et à

0 h 50 arriver au pied d'une citerne de D.F.C.I.* flanquée d'un majestueux cyprès. Se diriger vers cet arbre et prendre le sentier qui longe un ancien aqueduc enterré aboutissant 5 mn après à une source captée datant de 1834. Eau potable. Sortir sur une large piste forestière balisée blanc-rouge : c'est le GR 51 "Les balcons de la Méditerranée" qu'il faut suivre en montant Ouest. Vue très dégagée, au Sud, sur Roquebrune, le Cap Martin, la plage du Cabbé et au Nord sur le Mont Agel.

1 h 05 En s'enfonçant dans un creux de vallon, tapissé de violettes au printemps, laisser à gauche de celui-ci les deux ruines "Des Brigands" et la retenue d'eau à leur pied. Après un passage en S, la voie s'agrémente d'une jolie petite mare alimentée par une fontaine d'eau potable. Abandonner la piste en franchissant à gauche une petite crête rocheuse par un sentier balisé blanc-rouge (toujours le GR 51) qui contourne le Mont Gros par le Sud. En descente en lacet, puis presque horizontalement ensuite, le chemin serpente au milieu du maquis (de chênes verts, de lentisques, de myrtes et genêts orchis, violettes, romarin).

1 h 35 Le panorama s'agrandit dévoilant à l'Ouest : Monaco, La Turbie, le Mont de la Bataille. Montant en lacet vers le sommet, le sentier traverse un arboretum, d'essences les plus diverses, tout récent, implanté par l'O.N.F.* sur le versant Ouest du mont.

2 h 05 Le Col du Mont Gros est atteint, partir à droite, en quittant le GR pour arriver au point sommital (d'où s'élancent parapentes et ailes delta).

2 h 10 Sommet. Tour d'horizon de 360°. Au Nord-Est se distinguent Le Gramondo, Le Baudon, Le Roc de l'Ormée, Ste Agnès, Castellar, Gorbio. Le retour s'effectue par le même chemin que l'aller. Cependant si l'on craint un coup de fatigue, il est possible de retourner par la piste forestière partant du parking, situé au col, par le versant Est.

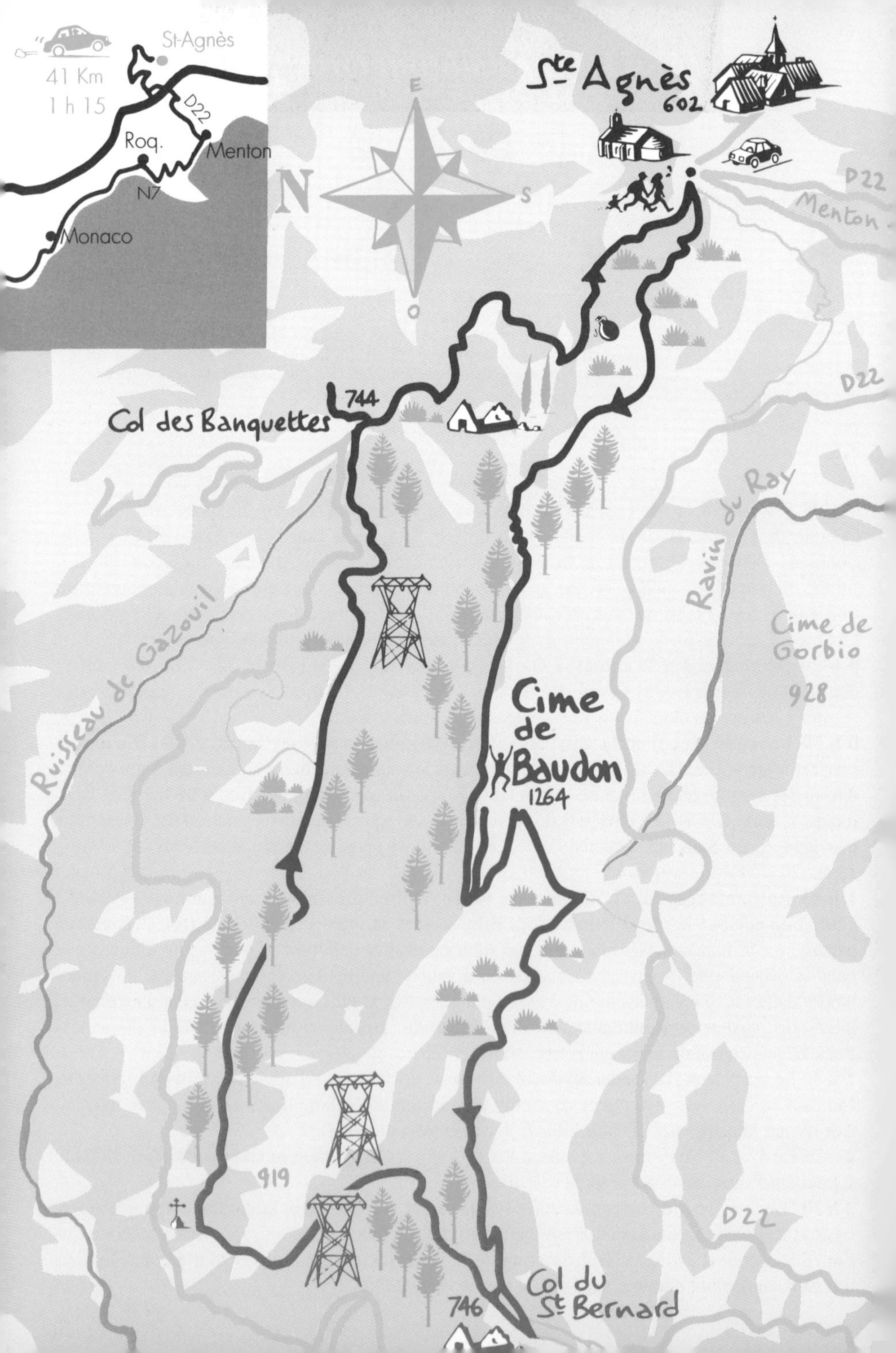

St-Agnès
41 Km
1 h 15
D22
Roq.
Menton
N7
Monaco
E
N
S
O
Ste Agnès
602
D22
Menton
D22
Col des Banquettes
744
Ravin du Ray
Ruisseau de Gazouil
Cime de Gorbio
928
Cime de Baudon
1264
919
D22
Col du St Bernard
746

17 - La Cime du Baudon

 Chapelle St-Sébastien au pied du village, à côté de la fontaine, 602 m

 1087 m - 485 m

 1 h 30

 2 h 45

Bleu

Voir balade n°13

0 h 00 De la place St Sébastien, partir derrière la fontaine par le sentier du milieu balisé bleu "Pic du Baudon" (on trouve aussi des balises rouges). Monter en écharpe et à
0 h 35 dépasser une ruine flanquée de 2 ou 3 cyprès plantés à droite du chemin.
0 h 40 "Pas de la Piastre". Laisser à droite le sentier balisé bleu pour suivre les marques rouges à gauche. Lacets courts et rudes jusqu'au pied du Bausson. Suivre la ligne de crête en contrebas de 10 ou 20 m. Le chemin monte alors en pente régulière sous un couvert de pins et débouche à
1 h 30 dans une baisse* à 1179 m. L'arête sommitale se situe à gauche marquée par un pilier à 1264 m (compter 0 h 25 aller-retour le long de la crête, temps non décompté ici). Descendre à gauche, sur le flanc Ouest du Baudon par un étroit sentier mal tracé d'abord, et s'affirmant, en lacet, ensuite.
2 h 05 Arrivé au pied du Baudon, dans une clairière s'engager à droite sur le chemin balisé bleu.
2 h 20 Bifurcation, descendre à gauche, des balises rouges apparaissent.
2 h 25 Rester sur le sentier balisé bleu en évitant celui qui, à gauche, monte au Baudon.
2 h 35 Col St Bernard. Carrefour de routes forestières à côté des vestiges de la Chapelle St-Bernard, presque disparue. Partir sur la route de droite, barrée par l'O.N.F.*.
2 h 45 Le passage sous la ligne T.H.T.* est suivie d'un croisement perpendiculaire avec un sentier marqué en bleu. Continuer sur la route .
2 h 50 Le chemin est surplombé par un rocher à pic, c'est Le Rocher du Pied de Jacques.
3 h 30 Nouveau passage sous la ligne T.H.T. en dépassant une source captée à droite.
3 h 40 Col des Banquettes. Prendre à droite la route goudronnée.
3 h 45 Passer sous une ligne H.T. Un peu plus loin, laisser à droite une source d'eau potable.
4 h 15 Chapelle St-Sébastien.

Roya - Bévéra - Merveilles

	Temps de marche aller-retour
18 - Cime de Ventabren	0h40
19 - Notre Dame du Mont	1h00
20 - Notre Dame des Grâces	1h30
21 - La Pinède de Breil	1h40
22 - La Cime du Bosc	2h15
23 - Pienne Haute	2h30
24 - Fort Barbonnet	3h00
25 - Fort du Mont Gros	3h10
26 - Le Mont Bonsapée	3h15
27 - Les Forts du Col de Tende	3h35
28 - Le Lac des Mesces	4h00
29 - Lacs de Fontanalbe	4h00
30 - Libre/Airole/Libre	4h15
31 - Le Château de Malmort	4h15
32 - Le Lac Jugale/Le Bec Roux	4h30
33 - Le Mont Agnelino	4h40
34 - Le Mont Razet	4h50

Col de Braus
Sospel
St-Laurent
L'Escarène
D2204
26 Km
1 h 00
721
1039
Cime de Ventabren
1098
←Nice
D2204
Col de Braus
1002
GR 510
D2204
Sospel →
Tête de la Lavina
1117
Petit Braus
1111

18 - Cime de Ventabren 

 Col de Braus, 1002 m  1098 m - 96 m

 0 h 20  0 h 20  Jaune

 Belle promenade offrant une belle vue aérienne sur la ville de Sospel, qui recèle des trésors architecturaux et artistiques dont l'église paroissiale de St Michel du 17ème. Le panorama d'ensemble de la cuvette de la Bévéra entourée de forts permet tout de suite comprendre qu'il s'agit là d'une ville à vocation défensive dont l'histoire militaire remonte au moyen âge. Elle était en effet un passage obligé en cas d'invasion. Ville de villégiature et de séjours sur la route du sel et de Turin par les grands cols (Braus et Brouis).

 Hôtels restaurants, commerces à Sospel et restaurant au Col de Braus.

0 h 00 Du Col de Braus, prendre la route goudronnée fléchée "Ventabren 20 mn". Suivre celle-ci, en négligeant à

0 h 10 le chemin qui s'en sépare à gauche, dans une clairière, au poteau indiquant "Pas de l'Agrée".

0 h 20 Après 2 épingles à cheveux, arriver sur la crête et aller jusqu'à l'antenne télécom surmontant une petite construction. Coup d'oeil très large, embrassant toute la cuvette de la Bevéra. Retour par le même chemin qu'à l'aller.

0 h 40 Col de Braus.

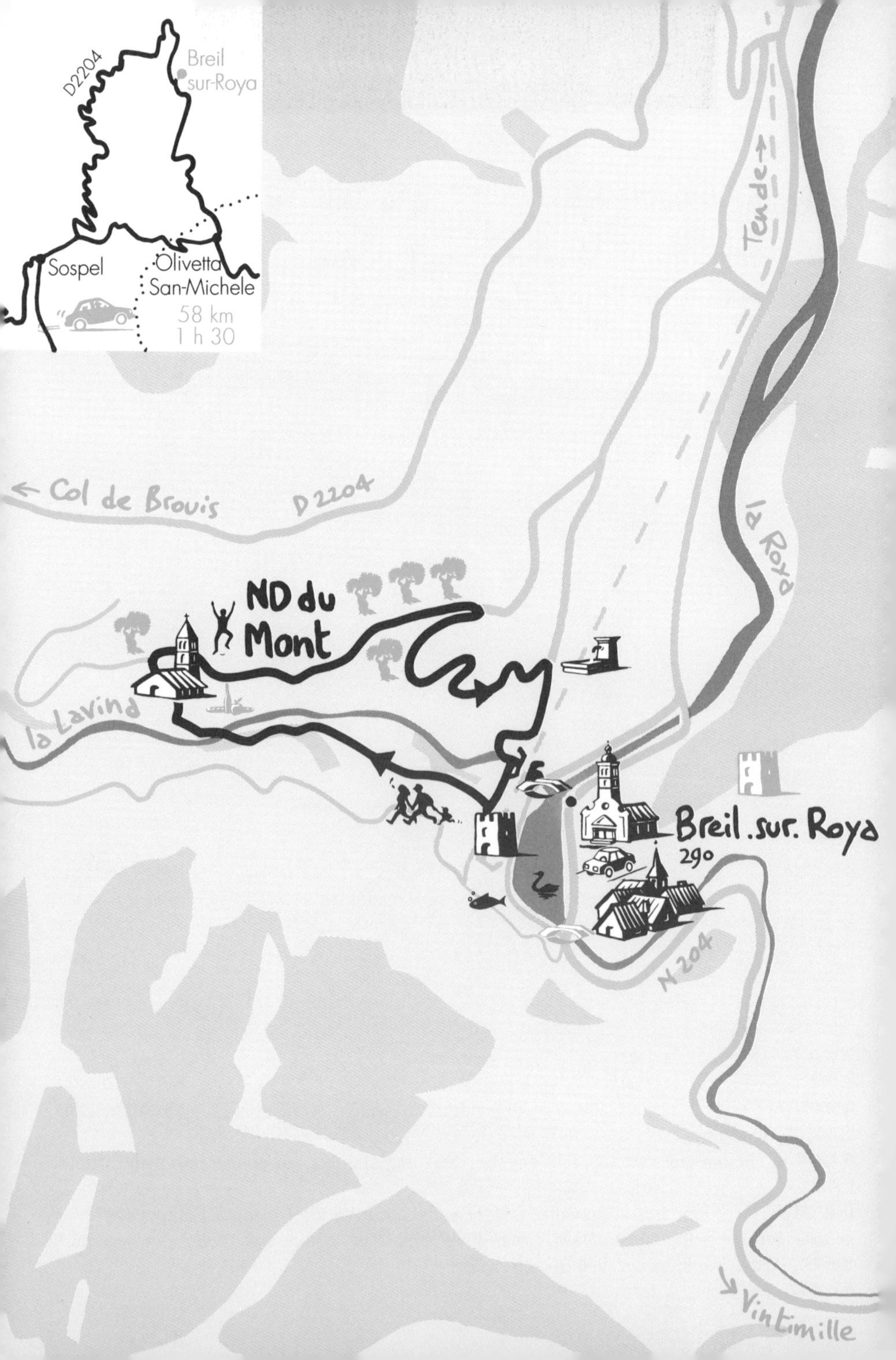

D2204
Breil
sur-Roya
Sospel
Olivetta
San-Michele
58 km
1 h 30
Tende
← Col de Brouis
D 2204
la Roya
ND du
Mont
la Lavina
Breil.sur.Roya
290
N 204
Vintimille

19 - Notre Dame du Mont

 Breil sur Roya, 290 m

 400 m - 120 m

 0 h 30

 0 h 30

 Jaune

Notre Dame du Mont est une ancienne église romane restaurée en style baroque au 17ème siècle.

0 h 00 Sortir de Breil par le pont médian en face de l'église. Passer sous le pont de chemin de fer. Tourner à gauche au poteau balise N° 7 en laissant à droite la tour "Crivella" (13ème siècle) et atteindre le poteau N° 7a. S'engager à droite sur le sentier balisé Jaune. Après avoir dépassé les jardins potagers longer rive droite le cours d'eau de la Lavina.Eviter les deux passerelles successives pour, à

0 h 20 passer à gué ce petit ruisseau. Le longer rive gauche en légère montée. Dépasser une ruine, puis monter les trois ou quatre lacets du chemin qui débouche sur une route cimentée à prendre à droite en montant.

0 h 30 Notre Dame du Mont. Aire de pique-nique. Descendre à droite par la route goudronnée entourée de restanques* cultivées en oliviers.

0 h 40 Bifurcation : prendre à gauche. A hauteur du poteau balise 8a, abandonner la route pour emprunter à droite la calade* qui dégringole vers Breil.

0 h 45 Arriver au poteau balise N° 8 sur l'avenue de l'Authion, une fontaine coule à gauche de la jonction, eau potable. Continuer à droite sur l'avenue. Au poteau balise 7 tourner à gauche et passer sous le pont de chemin de fer pour déboucher à

0 h 55 sur le pont médian de Breil et le lac. Prendre à droite la rive du lac et arriver au pont Sud à **1 h 00**.

D2204
Breil
-sur-Roya
N204
Sospel
Olivetta
San-Michele
58 km
1 h 30
Tende
D 2204
Col de Brouis
ND du Mont
la Lavina
la Roya
ND des Grâces
476
N 204
Vintimille
1124 Cime du Bosc

20 - Notre Dame des Grâces 

 Breil sur Roya, 290 m  467 m - 275 m

 0 h 45  0 h 35  Blanc-Rouge

 Breil sur Roya, ex-possession au 13ème siècle des Lascaris-Vintimille, bien que reconstruit après la dernière guerre, a conservé d'intéressants vestiges du passé. Allongé le long du lac artificiel fréquenté par une école de canoé-kayak, il offre la vue pittoresque sur une des rares urbanisations en fond de vallée de la Ligurie. Notons les restes de ses remparts, sa tour carrée du 11ème, ses églises à bulbes en tuiles vernissées, dont Notre Dame des Grâces reste un témoin précaire si des mesures de classement et de sauvegarde ne sont mises en oeuvre rapidement. La porte St Antoine avec son poste à péage rappelle qu'au moyen âge Breil occupait une position clé sur la route de Turin à Vintimille, et sur la route du sel.

 Domaine de l'olivier depuis des millénaires, la réputation de ses produits (huiles, olives de conserve) déborde largement le cadre régional. C'est un des centres les plus importants de la vallée de la Roya.

 Hôtels, restaurants, commerces à Breil. Point de départ du GR 510 et de passage du GR 52A.

0 h 00 Partir sur le GR 510 (Le Chemin des Huit Vallées) qui, à une cinquantaine de pas du pont de l'entrée Sud de Breil, s'élève balisé blanc-rouge. A la première bifurcation abandonner le GR pour prendre à droite la voie marquée en jaune.
0 h 05 Eviter le sentier ascendant à gauche et déboucher peu après sur une route goudronnée à suivre en montant, jalonnée blanc-rouge (GR 52A) et bordée de restanques* plantées d'oliviers.
0 h 20 Carrefour, laisser à gauche la piste de Bancao pour rester sur celle de la Madone des Grâces. Arriver au lieu-dit "Lavina" à un pont médiéval au poteau balise N°120, fontaine d'eau potable. Continuer direction "Col de Brouis".
0 h 30 Le revêtement de la route cesse.
0 h 40 Une croix s'érige sur une colonne en bordure du chemin.
0 h 45 Notre Dame des Grâces. Le long du mur Ouest coule une fontaine d'eau potable. Petite plate-forme propice au pique-nique. Le retour s'effectue par le même itinéraire que l'aller sur le GR 52A.
1 h 15 Laisser à droite le sentier par lequel à 0 h 05 le GR 52A avait été rejoint, pour achever le trajet en descendant à gauche.
1 h 20 Dépasser les poteaux balises N° 7a et 7 et passer sous le pont de chemin de fer pour aboutir plus bas au pont médian de Breil sur le lac.

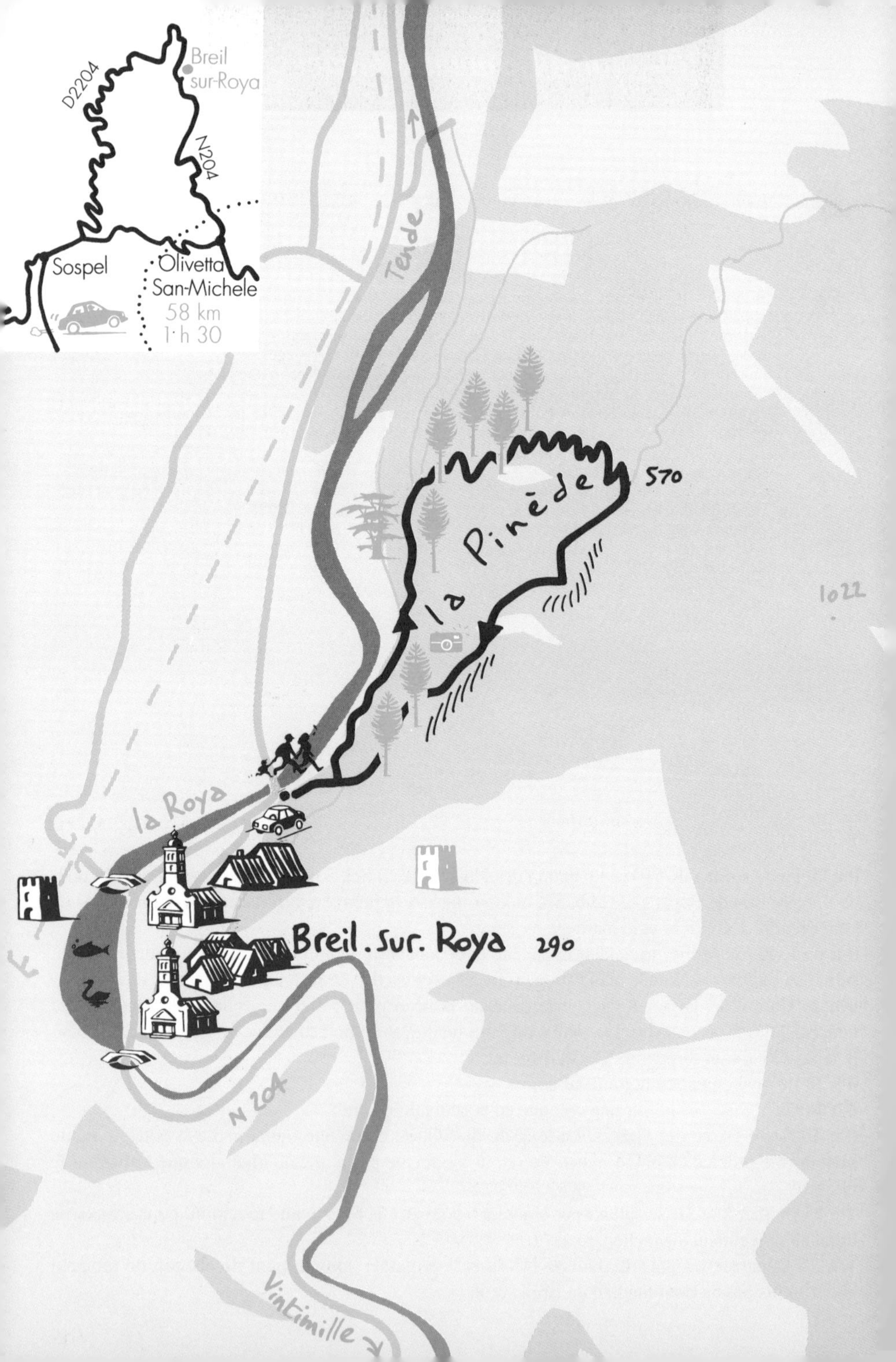

Breil
sur-Roya
D2204
N204
Sospel
Olivetta
San-Michele
58 km
1 h 30
Tende
la Pinède
570
1022
la Roya
Breil.sur.Roya
290
N 204
Vintimille

21 - La Pinède de Breil 

 Breil sur Roya, 290 m  550 m - 280 m

 0 h 55  0 h 45  Jaune

 On rencontre des fritilaires bordant le sentier, des cytises aux grappes tombantes jaunes, des amélanchiers aux fleurs blanches, des cistes cotonneux aux corolles mauves, des odorants chèvrefeuilles, dominant toute une petite flore méditerranéenne des plus variées : thym, roses, polygales et aphyllanthes bleues, saxifrages blancs, orchis rouges, et tant d'autres plantes odoriférantes de la garrigue provençale.

Cette randonnée est à éviter par temps de pluie ou de brouillard, car elle comporte des passages délicats en surplomb.

0 h 00 S'engager rive gauche de la Roya avant le pont Nord de Breil en suivant la direction "Arpette" donnée par le poteau balise N° 5. Longer une falaise rocheuse et pénétrer sous un couvert de pins et de cèdres. Laisser à gauche un sentier descendant dans les jardins.
0 h 10 Bifurcation. Partir à droite. Déboucher sur une piste forestière à prendre en montant à droite.
0 h 20 Au poteau jalon sans numéro, planté au bord de la route, gravir le petit sentier, balisé jaune, qui s'élève assez raide d'abord puis en nombreux lacets ensuite.
0 h 55 Balise N° 10. Suivre à droite la direction de La Cruella sur un plan horizontal. Petit plateau favorable au pique-nique. Aux balises jaunes s'ajoutent les marques blanches et rouges du GR 52A, qu'il faut garder jusqu'à Breil. Le sentier quitte le bois de pins pour cheminer à flanc de falaise, en surplombant Breil, son lac et la vallée de la Roya dont les perspectives se démasquent à chaque virage.
1 h 10 Dans une brèche, court passage un peu délicat, pas dangereux par beau temps, mais à éviter par temps de pluie ou de brouillard.
1 h 15 Au pylône accroché à la falaise, vue panoramique unique sur le site de Breil sur Roya.
1 h 25 Poteau balise N° 6. Descendre à droite en évitant le départ pour "La Cruella" (vestiges du château et des fortifications médiévales), en restant sur le GR 52A, toujours bien caladé*.
1 h 35 Dépasser une ruine située à gauche pour arriver à une bifurcation où il faut partir à droite.
1 h 40 Poteau N° 4, Breil sur Roya.

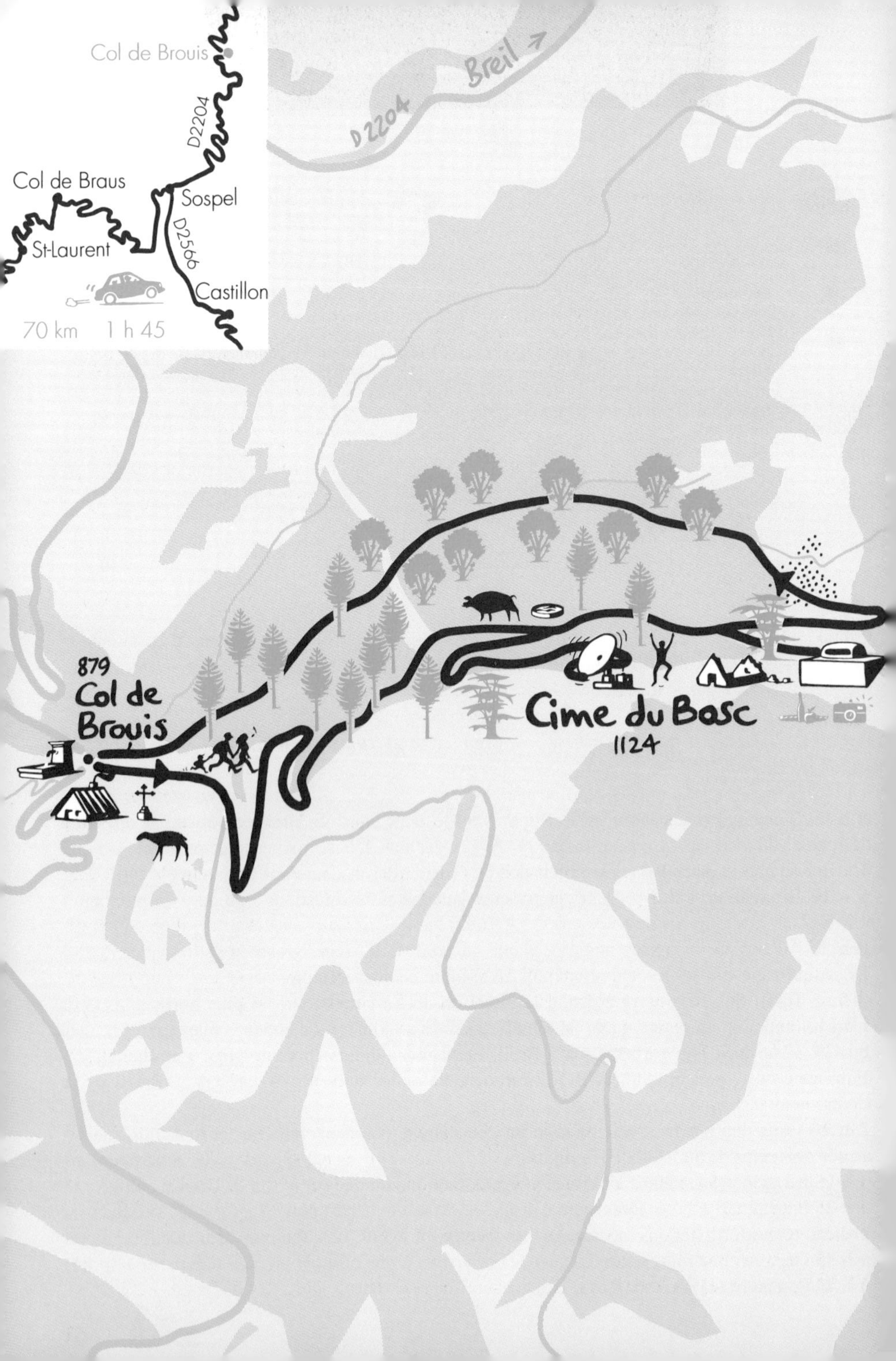
Col de Brouis
D2204
Breil
Col de Braus
Sospel
D2566
St-Laurent
Castillon
70 km 1 h 45
879
Col de Brouis
Cime du Bosc
1124

22 - Cime du Bosc

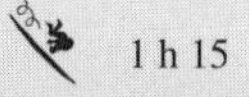

 Col de Brouis, 879 m

 1124 m - 250 m

 1 h 00

 1 h 15

Sans à la montée,
Jaune à la descente

Cette randonnée se déroule dans la forêt du Bosc, composée de pins sylvestres au début, puis à mi-course de feuillus divers : chênes blancs, charmes houblon, alisiers, noisetiers et en fin de parcours dans un beau peuplement de cèdres. La vue tant du sommet du Bosc que de la pointe de la Cougoule, s'étend sur le cours de la Roya, sur Breil et sur les sommets entourant la cuvette de la Bevéra hérissés de leurs forts.

Auberge du Col de Brouis, restaurant, (fermée de novembre à mai). Restaurants, hôtels et commerces à Sospel et Breil ouverts toute l'année.

0 h 00 Partir de l'auberge du Col de Brouis poteau jalon 124, en direction du Col de Paula, sur la Route Agricole de Pienne, laisser à droite le monument militaire qui couronne le petit piton.
0 h 10 Jalon 123, partir sur la route de gauche direction Citerne de D.F.C.I.*. Suivre cette voie stratégique sous une agréable frondaison de pins sylvestres.
0 h 30 La sylve de feuillus se mêle aux pins en de nombreuses essences. A droite se creuse le vallon de la Lavina.
0 h 40 Bifurcation : laisser la voie de gauche pour prendre celle de droite en contournant la citerne de D.F.C.I.. Tout le long du chemin, les bas-côtés sont labourés par les sangliers, hôtes de cette belle forêt.
0 h 50 La route, bordée de beaux spécimens de cèdres, arrive à hauteur de la ligne de crête. Les pommes de cèdres rongées par les écureuils jonchent le sol.
0 h 55 Décrivant une épingle à cheveux, la route monte, laissant à gauche une allée de jeunes cèdres.
1 h 00 Arrivée au sommet et à l'antenne de télécom. Beau point de vue. Revenir par le même chemin à la bifurcation et à la citerne de D.F.C.I. passées en montant à 0 h 40.
1 h 15 S'engager sur la voie de droite qui va vers la Pointe de la Cougoule.
1 h 20 Poteau 122. Continuer tout droit sur la route et après avoir dépassé les anciens casernements, s'avancer jusqu'à l'antenne de T.V. et à la croix de bois plantée sur la Pointe de la Cougoule. Panorama très développé.
1 h 25 Poteau 122. De là, deux possibilités de retour. Soit par le chemin pris en montant, c'est-à-dire la voie stratégique, soit en descendant à droite par le sentier balisé jaune. Ces deux trajets de même facilité s'effectuent dans le même temps. Si l'on choisit le sentier : descendre à droite en un long lacet à travers un clapier*.
1 h 35 Poteau 121, partir à gauche sur le chemin en légère descente d'abord, puis horizontal ensuite, sous le couvert forestier.
2 h 10 Le sentier rejoint le GR 52A, balisé blanc-rouge et débouche au Col de Brouis à **2 h 15**.

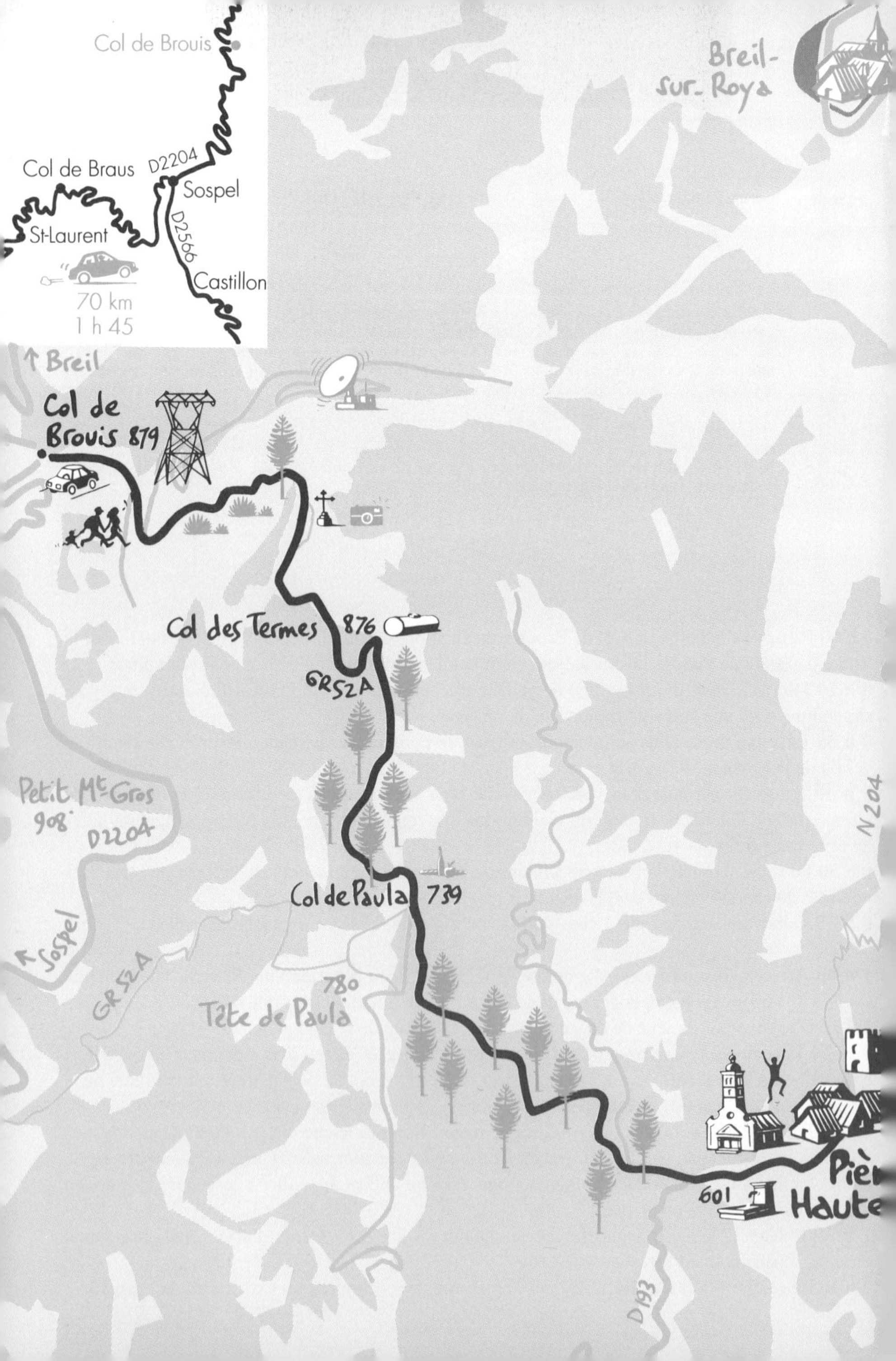

Col de Brouis
Col de Braus
D2204
Sospel
D2566
St-Laurent
Castillon
70 km
1 h 45
Breil-
sur-Roya
↑ Breil
Col de
Brouis 879
Col des Termes 876
GR52A
Petit Mt Gros
908
D2204
Col de Paula 739
N204
Sospel
GR52A
780
Tête de Paula
601
D193

23 - Pienne Haute

 Col de Brouis, 879 m  911 m - 300 m

 1 h 15  1 h 15  Blanc-Rouge puis Jaune

 Pienne est un hameau dépendant de la commune de Breil sur Roya. Avec Libre-Tende et La Brigue, il est un des plus récents rattachements territoriaux à la France, puisqu'il date du traité de paix avec l'Italie de 1947. Ce traité a rejeté la frontière au milieu du cours de la Roya, alors que la limite entre les deux pays se situait depuis 1860 sur la ligne de crête où justement passe la randonnée décrite ici. Encore de nombreuses bornes frontières, gravées d'un F d'un côté et d'un I de l'autre marquent ce passé récent, le long du chemin. Son église baroque, ses ruelles fleuries toute l'année, et les ruines de son vieux château surplombant en à-pic de plus de 400 m le cours sinueux de la Roya sont à visiter.

 Restaurants à Breil et Sospel ouverts toute l'année. Auberge du Col de Brouis fermée de novembre à mai.

0 h 00 Du col, au poteau jalon N° 124 prendre la route goudronnée d'abord qui se dirige Est vers le monument situé derrière l'auberge. Suivre le panneau indicateur "Pienne Haute" balisé blanc-rouge (GR 52A). Passer sous la ligne T.H.T.*.
0 h 10 Poteau N° 123. Laisser à gauche la piste de D.F.C.I.*.
0 h 20 Dans un virage à angle droit de la route, prendre le petit sentier qui monte à gauche sur la colline vers une croix-monument élevée par les chasseurs alpins, d'où l'on a une très belle vue panoramique sur la vallée de la Roya et le bassin de la Bevéra. Redescendre le long de la crête pour rejoindre la route de terre.
0 h 30 Passage sous une ligne T.H.T. sur doubles pylônes métalliques. Rester sur la large voie qui suit la ligne de partage des eaux et servait de frontière avec l'Italie avant la guerre 39-45, les bornes datent de 1927. Au Col des Termes, dans la patte-d'oie, s'engager sur la voie carrossable de droite.
0 h 45 Dépasser une citerne métallique quadrangulaire posée à gauche de la route, puis la borne N° 112-14. Arriver au Col de Paula (739 m), à la borne 112-15, abandonner le GR qui part à droite au poteau N°119 et s'engager sur la voie carrossable la plus à gauche, en négligeant les autres chemins.
0 h 55 Longer une vigne plantée à droite.
1 h 00 Poteau jalon N° 116. Continuer et au poteau N° 115, rejoindre la route D193 à prendre à gauche pour atteindre à
1 h 15 Pienne Haute. Le retour s'effectue par le même chemin que l'aller et à
2 h 30 arriver au parking.

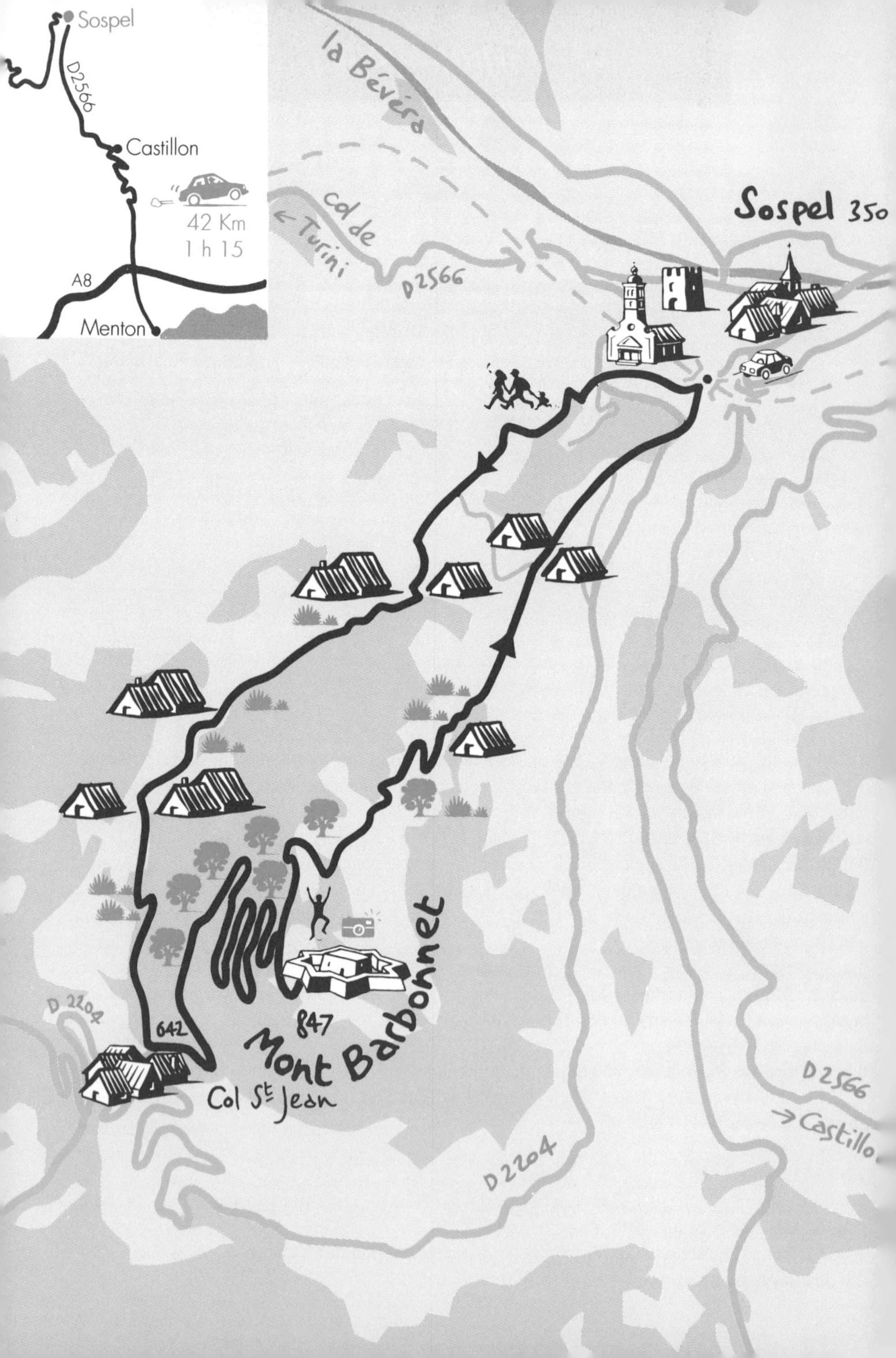
Sospel
D2566
Castillon
42 Km
1 h 15
A8
Menton
la Bévéra
col de Turini
D2566
Sospel 350
D 2204
642
847
Mont Barbonnet
Col St Jean
D2204
D2566
→ Castillo

24 - Fort Barbonnet

 Sospel à côté de la mairie, 354 m

 847 m - 500 m

 1 h 45

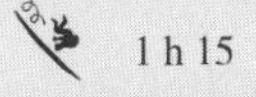 1 h 15

Blanc-Rouge
et Jaune à la descente

 Sa position stratégique faisait de ce fort une des pièces maîtresses du rideau défensif de la France du Sud-Est.

 Hôtels, restaurants, commerces à Sospel.

0 h 00 De la mairie prendre la Montée des Romains. Dépasser la porte médiévale et la Tour Carrée. Passer la voie ferrée par le pont et franchir la barrière de bois. Tourner à droite vers le pylône de la ligne électrique planté à l'angle du cimetière. En bordure de celui-ci continuer sur le chemin encaissé balisé jaune. Sortir sur la D2204, la traverser et à hauteur du panneau "Barbonnet 1 h 45" s'engager sur le sentier montant en lacet à gauche du panneau. Cet ancien chemin pavé est balisé jaune, mais aussi blanc-rouge (GR 510). **0 h 25** Longer la clôture d'une propriété. Devant l'entrée de celle-ci partir à droite sur la voie carrossable. **0 h 35** Déboucher sur une route goudronnée à prendre à droite au milieu des maisons de campagne. **0 h 45** Le revêtement de la route cesse, continuer sur la portion empierrée, toujours balisée. **1 h 00** A hauteur d'une fermette située à gauche la voie est à nouveau en macadam. **1 h 05** Négliger la voie partant à gauche et arriver à **1 h 10** au Col St Jean. Quitter le GR (blanc-rouge) pour monter à gauche sur la route militaire qui conduit au fort et la suivre jusqu'au bout. **1 h 40** Dans la dernière boucle de la voie, un sentier part à gauche de celle-ci. Retenir ce point par où s'effectuera le retour, après visite du fort. **1 h 45** Fort du Barbonnet. Pour le retour 2 possibilités : soit retourner à Sospel par le même chemin que l'aller en 1 h 10 sans difficulté, soit prendre l'itinéraire qui suit, un peu plus sportif et avec quelques passages délicats mais ne présentant pas de caractère dangereux. Revenir à la boucle dépassée à 1 h 40 en montant et prendre le sentier balisé jaune qui part maintenant à droite. **2 h 00** Le chemin aboutit dans une tranchée protégée du vide par un parapet (de cet ouvrage une large vue s'étale au Nord). Suivre la tranchée jusqu'au cul-de-sac. Escalader le parapet et bien conserver la piste tracée par des balises jaunes, en descendant à gauche s'aidant des mains à travers le chaos rocheux. **2 h 15** Le passage des blocs rocheux se termine par un sentier raide et étroit. Ne pas perdre les balises. **2 h 30** Au confluent de 2 lits de ruisseaux, à sec l'été, partir tout de suite à gauche en longeant la face d'une restanque*. Garder toujours les marques jaunes. **2 h 35** Le sentier débouche sur un large chemin se dirigeant vers une construction. Sitôt celle-ci dépassée, plonger à droite dans un sentier embroussaillé suivant une ligne électrique. Longer côté droit une voie goudronnée au droit d'une flèche indiquant "Barbonnet". **2 h 55** Couper la route et à droite rejoindre la D2204. Descendre environ 200 m sur celle-ci et à droite retrouver le sentier balisé jaune pour arriver sur le pont à l'entrée de Sospel à **3 h 00**.

Col de Brouis
D2204
Col de Braus
Sospel
D2204
D2566
Castillon
70 Km
1 h 45
D2204
Breil
Col de Brouis
879
1109
Baisse de Levens
1106
Mont Gros
1272
D2204
Petit Mt Gr
908
702
Sospel

25 - Fort du Mont Gros

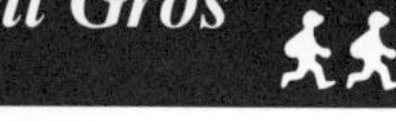

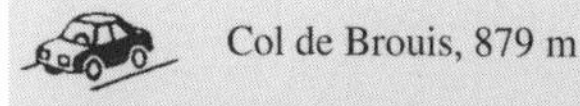

Col de Brouis, 879 m

1263 m - 400 m

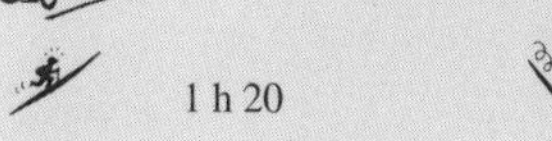

1 h 20

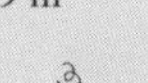

1 h 50

Jaune

Restaurants à Breil et Sospel ouverts toutes l'année. Auberge du Col de Brouis fermée de novembre à mai.

0 h 00 Descendre par la D2204 direction Sospel. Prendre à droite la route militaire suivant la fontaine. A la bifurcation partir à gauche. **0 h 10** Pénétrer dans les anciens casernements. Après le bâtiment laisser à gauche la voie se dirigeant vers une exploitation agricole. Longer le Ruisseau de Brouis rive gauche. Au carrefour, abandonner le chemin carrossable pour suivre, sur un sentier, la direction indiquée par le poteau Baisse de Levens. Franchir à gué le lit du ruisseau pour monter rive gauche d'un talweg* dans un bois de charmes houblon alternant avec des pins. **0 h 25** Traverser le ravineau, en négligeant le sentier qui descend à gauche. Passer le lit d'un autre ruisseau, en montant sur le chemin pavé rive droite du creux, repasser sur l'autre rive à **0 h 40** en laissant sur la droite et un peu plus loin un ancien captage d'eau. Eviter le sentier de droite et sortir à **0 h 45** dans la “Baisse de Levens”, marquée par le poteau jalon N° 139 et la ruine d'un caisson maçonné de répartition d'eau. Partir à gauche, en évitant le chemin du “Mangiabo” et le sentier de droite qui descend sur Sospel balisé blanc-rouge. Eviter également à gauche le sentier horizontal, pour monter le long de la pente en dépassant les vestiges d'un captage d'eau. Aboutir sur la route stratégique à hauteur d'un ancien poste de garde, partir à gauche. Dépasser un transformateur et un casernement inachevé en ruines. **1 h 05** Quitter la voie revêtue et continuer vers l'Est, passer sur des plate-formes bétonnées, laisser à droite le sentier balisé blanc-rouge. S'élever légèrement et à **1 h 10** le sentier disparaît presque en dominant une arête sur la droite suivie d'un piton rocheux. Obliquer à gauche à angle droit, vers un réseau de barbelés tendus entre 2 gros pins à quelques mètres au-dessus du chemin, pour trouver une sente qui monte en direction de l'ouvrage dont les tourelles émergent sur la crête. Celle-ci étant atteinte, la longer à gauche pour se trouver sur le toit du fort. A droite s'élève l'antenne télécom (au milieu des ouvrages militaires). Revenir par le même chemin que l'aller à la Baisse de Levens dépassée à 0 h 45 en montant. **2 h 00** Un peu avant cette dernière, juste après les vestiges de captage, s'engager sur le sentier horizontal de droite, marqué d'une croix blanche et rouge. **2 h 10** A la bifurcation, prendre le chemin descendant à gauche en abandonnant l'horizontal. Dépasser deux pans de mur. **2 h 15** Nouvelle bifurcation, partir à droite, horizontalement d'abord puis par des lacets assez raides ensuite, poteau 138. **2 h 35** Au bas de la pente, arrivé à quelques mètres au-dessus de la D2204 le chemin bifurque. A droite il descend sur la route qu'on peut remonter jusqu'au Col de Brouis sur 1 km en 10 à 15 mn. Ou partir à gauche au jalon 137, le sentier horizontal d'abord, monte le long de la rive droite du Ravin de Brouis puis débouche à **2 h 45** au croisement noté à 0 h 25 du départ et retrouve là le chemin balisé jaune à suivre en sens inverse de l'aller pour rejoindre le Col de Brouis à **3 h 10**.

Berghe sup.
inf.
Usine
de
Paganin
Fontan
Saorge
N204
72 Km
1 h 30
Breil

St-Dalmas
de. Tende

Mont
Bonsapée
1343

1599
Cime de Gauron

N 204

Granile
1000

1188

1172
Pointe de Trayo

N 204
la Roya
520

Berghe Supérieur

Berghe inf
Breil

26 - Le Mont Bonsapée 

 Usine hydro-électrique de Paganin, 520 m

 1343 m - 825 m

 1 h 50

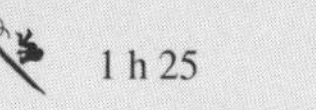 1 h 25

 Jaune

 Berghe Supérieur fait face à Berghe Inférieur dont il est séparé par le ravin de Paganin. Aussi pittoresque que son vis-à-vis, il domine en belvédère le cours de la Roya.

 Du sommet du Bonsapée, la vue aérienne sur St Dalmas de Tende, et la Haute Roya jusqu'à la crête frontière est particulièrement belle.

 Hôtels, restaurants à Fontan, St Dalmas ou Saorge.

0 h 00 Monter par les escaliers en face du parking (poteau jalon 36) en traversant la route. Laisser une grotte sur la droite. **0 h 15** En dépassant un eyguier* le chemin caladé* passe sur le flanc Sud de la montagne. **0 h 20** Passer devant une bergerie. Le village de Berghe apparaît à gauche au pied de pylônes métalliques. **0 h 30** Après la croix votive entrer dans le hameau de Berghe Supérieur jalon 33. Prendre un raidillon à droite entre les maisons et sortir du village. Se diriger vers le cimetière, sous un pylône, en montant par des ruelles étroites. **0 h 35** Arriver sous le mur Est du cimetière, passer devant une grotte et rester sur un sentier étroit, bien tracé montant parallèlement à une ligne électrique à 3 fils sur poteau de bois. **0 h 45** Un poteau carbonisé, d'une ligne abandonnée, se dresse au bord du chemin. Après de nombreux lacets, une croupe est franchie. Le sentier monte toujours côté droit du ravin de Paganin sous un couvert de pins. **0 h 55** Les poteaux de la ligne abandonnée jalonnent le parcours. Le village de Granile aux toits couverts de lauzes rouges apparaît après le passage d'une dernière croupe. Poteau 219. Prendre à gauche. **1 h 00** Granile. Passer devant l'église et prendre la calade qui monte à gauche. A hauteur du dernier poteau électrique prendre à droite. Jalon 220 : Gauron-Les Mesces, aller dans ces directions. **1 h 10** Bifurcation : prendre à gauche sur la calade. De même à la suivante. **1 h 25** Le bois se termine, le chemin s'élève en terrain dénudé. Franchir une brèche au milieu d'arbres calcinés. **1 h 40** Passer les trois conduites forcées de l'usine hydro-électrique de St Dalmas de Tende. **1 h 45** Eviter le sentier qui monte à gauche vers les constructions. Passer une brèche. Poteau 221. A droite 50 m plus loin, un cairn indique le sommet du Mont Bonsapée. Revenir à Granile, puis, au poteau jalon 219 planté à la bifurcation passée à 0 h 55 en venant par le chemin de Berghe. **2 h 30** Descendre à gauche par le sentier en lacet le long de la côte de Paganin. **2 h 55** Passage sous la ligne T.H.T.*. **3 h 10** Déboucher sur la N204 à prendre à droite pour arriver au parking à **3 h 15**.

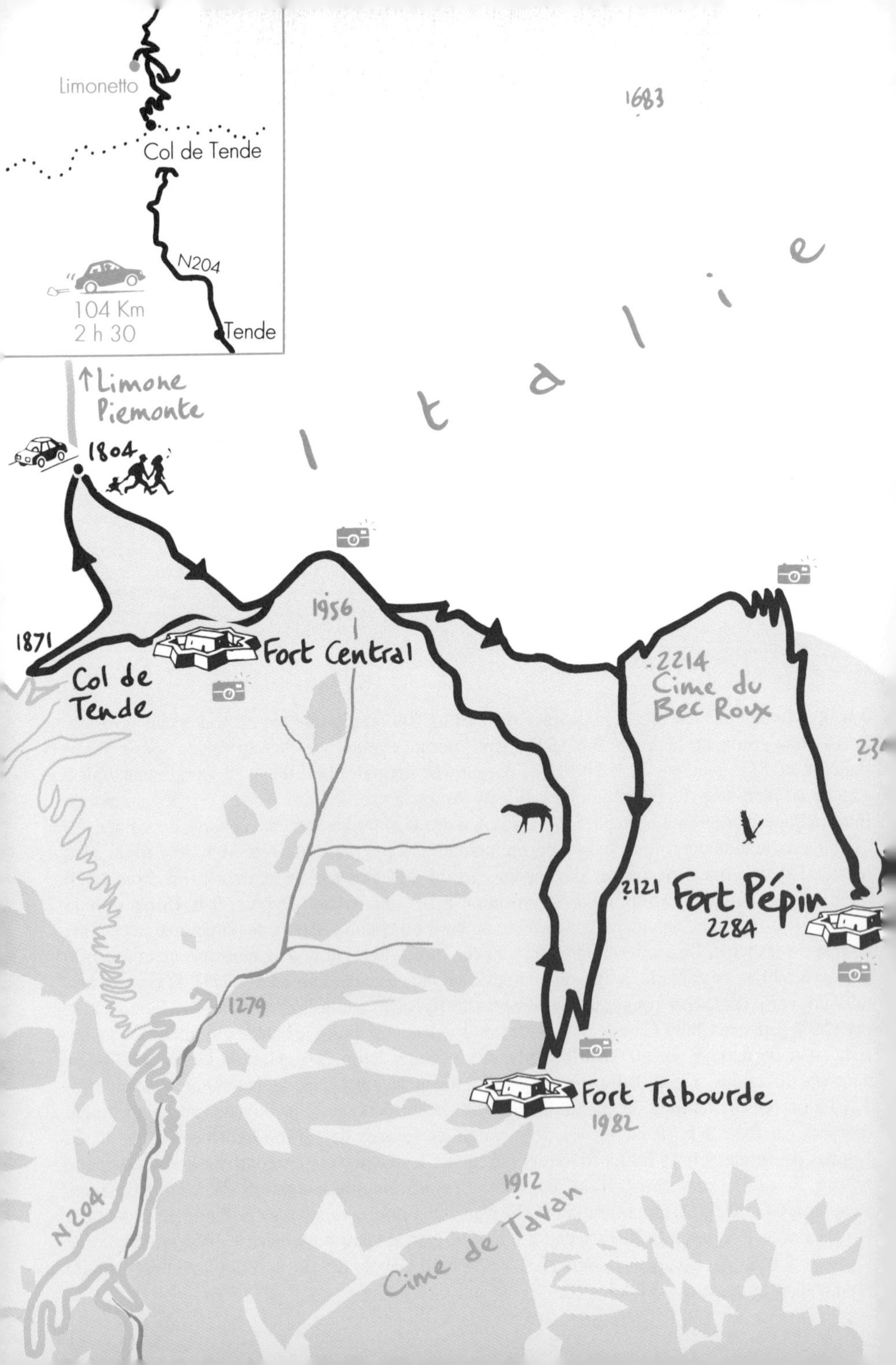
Limonetto
Col de Tende
N204
104 Km
2 h 30
Tende
Limone Piemonte
1804
Italie
1683
1871
1956
Fort Central
Col de Tende
2214
Cime du Bec Roux
2121
Fort Pépin
2284
1279
Fort Tabourde
1982
1912
Cime de Tavan
N204

27 - Les Forts du Col de Tende

 Ancien Col de Tende, barrière frontalière, 1804 m

 2284 m - 500 m

 1 h 35  2 h 00

 Blanc-Rouge puis Jaune

Ces forts italiens, avec ceux situés à l'Ouest du Fort Central, assuraient le vérouillage de la dernière barrière naturelle entre la France et l'Italie. Ils jouissent d'une amplitude de vue incomparable.

 Edelweiss

 Tende : lieu de séjour très apprécié, on y trouve hôtels, restaurants et commerces.

 Le Col de Tende que l'ancienne route gravit en lacet fut pendant des siècles le passage des Alpes le moins élevé. C'était la route du sel vers le Piémont et la Toscane. Dire que son histoire a été bien chargée serait un euphémisme, tant chaque époque, chaque remous des politiques européennes, y ont laissé leurs empreintes. Tende, capitale de l'ancien comté, vassale tour à tour du Saint Empire Romain Germanique, de la Provence, du Duché de Savoie, de la maison de Piémont Sardaigne, du royaume de France recèle des trésors artistiques et architecturaux que les Lascaris, seigneurs des lieux, ont su conserver malgré vents et marées. Les schistes, verts et rouges, pierres du pays, ont servi avec beaucoup de bonheur aux constructions de la ville. Se déplacer dans la vieille cité réserve une mine de découvertes.

0 h 00 Abandonner le véhicule avant la barrière qui termine la route goudronnée et s'engager à gauche sur la voie de terre. **0 h 10** Une ligne T.H.T.* croise la route. **0 h 15** Passer sous le Fort Central et éviter la route défoncée de droite qui y mène. Les balises blanches et rouges du GR 52A apparaissent. **0 h 25** Bifurcation à hauteur d'une grotte, poteau jalon 338. Abandonner les voies carrossables et grimper par le sentier balisé blanc-rouge le long de la plus grande pente. **0 h 45** Après un replat, continuer à monter. **0 h 55** Déboucher sur une petite baisse*. **1 h 00** Borne frontière 203, poteau 337 et voie carrossable à prendre en montant. **1 h 05** Après un lacet, la cote 2214, sommet du Bec Roux est atteinte. A la borne frontière 205 s'engager sur la large voie gazonnée qui après 3 lacets arrive à la borne frontière 207 dans une petite baisse. Abandonner les balises qui continuent à gauche pour prendre à droite le chemin carrossable qui monte légèrement encore. **1 h 35** Fort Pépin poteau 336. Beaux edelweiss aux mois juillet et août au bord du chemin. Revenir par le même chemin qu'à l'aller à la borne frontière 207, puis à la 205 et à la 203. **2 h 05** De cette dernière borne prendre à gauche la voie carrossable, pour arriver à **2 h 35** au Fort Tabourde poteau 335. Du fort prendre la voie de droite qui à flanc de coteau en légère descente, ramène à **3 h 00** au carrefour de la grotte dépassé à l'aller à 0 h 25 poteau jalon 338. Partir à gauche en descendant. **3 h 05** Laisser la route frontière pour prendre à gauche la voie "jeepable" et monter au Fort Central. **3 h 10** Contourner le fort côté Italie et, suivant le GR 52A (blanc-rouge), venir atterrir au Col de Tende. Faire demi-tour et descendre la route empierrée pour rejoindre le parking à **3 h 35**.

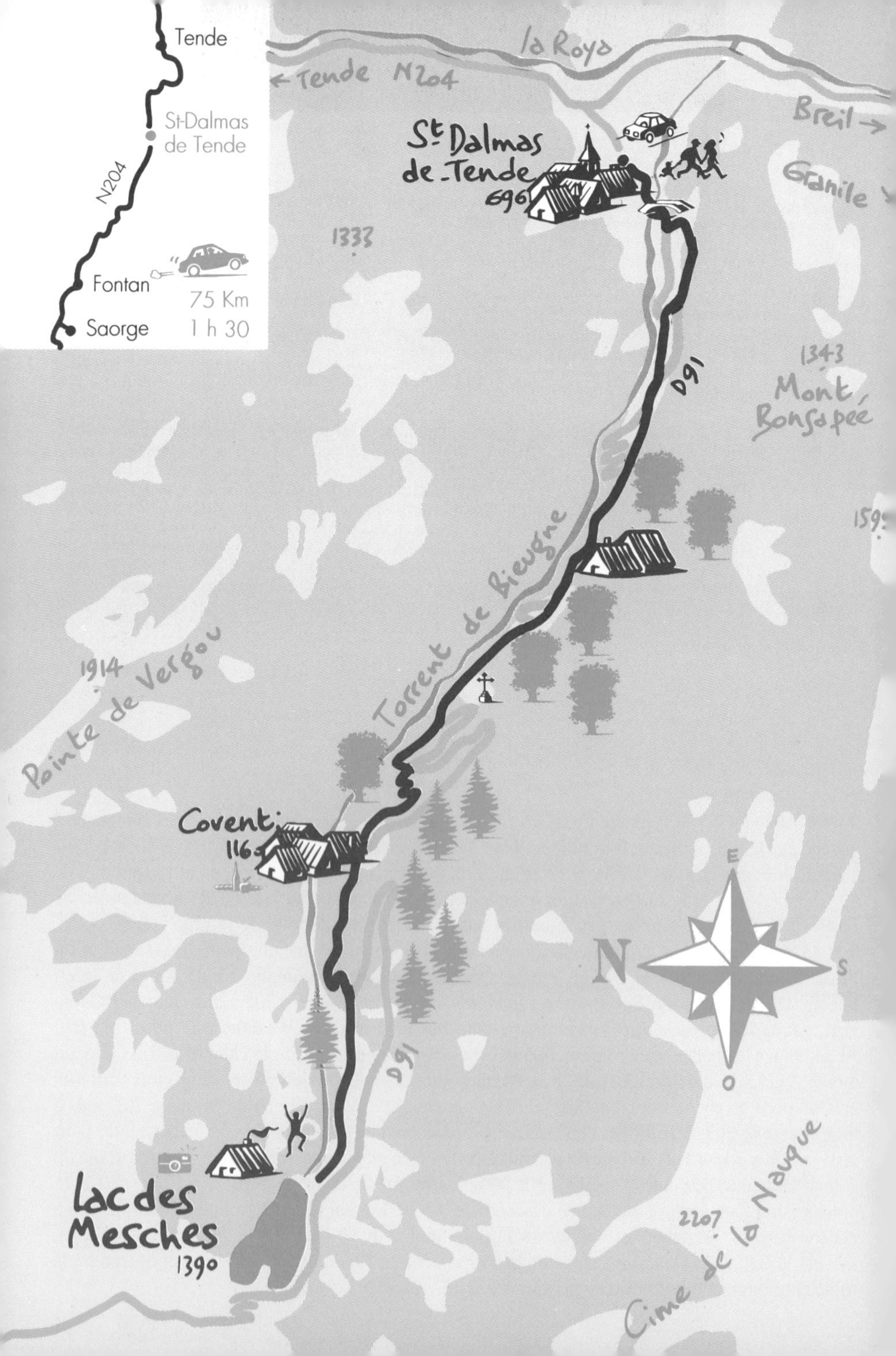

Tende
St-Dalmas
de Tende
N204
Fontan
Saorge
75 Km
1 h 30

la Roya
← Tende N204
Breil →
Granile
St Dalmas
de Tende
696
1333
1343
Mont Bonsapée
D91
Torrent de Bieugne
1914
Pointe de Vergou
Covent
116
D91
lac des
Mesches
1390
2207
Cime de la Naque
E
N
S
O

28 - Le Lac des Mesces

Gare monumentale
de St Dalmas de Tende, 705 m

1390 m - 695 m

2 h 05

1 h 55

Jaune

La gare monumentale mussolinienne de St Dalmas, disproportionnée par rapport aux besoins, a été bâtie là, à la gloire du régime fasciste, au milieu d'un pays qui lors du plébiscite de 1860 avait demandé son rattachement à la France. La D91 emprunte en partie l'ancien chemin des mines, sur lequel se déroule cette randonnée, ce qui explique les passages occasionnels sur la voie goudronnée. Des mines de la Vallauria situées près du Lac des Mesces (prononcer Mèches), à l'entrée de la Vallée des Merveilles, il permettait de descendre le minerai à l'usine de flottage encore visible sur la rive gauche de La Bieugne à la sortie de St Dalmas. La retenue artificielle des Mesces fournit une importante énergie électrique. Son barrage-voûte est impressionnant vu à l'arrivée.

Longeant, en montant, la rivière cascadante, ce chemin fait transiter le randonneur à travers les différents étages de végétation montagnarde. Au départ les feuillus de l'étage montagnard inférieur : noisetiers, érables, châtaigniers, suivis de l'étage montagnard supérieur, avec ses conifères à feuilles persistantes : épicéas, pins et sapins, pour arriver en fin de parcours à l'étage subalpin où prédominent les mélèzes à feuilles caduques.

Hôtels, restaurants, commerces à St Dalmas ; gîte d'étape à La Minière Neige et Merveilles au-dessus du Lac des Mesces.

0 h 00 Au sortir de la gare, monter les escaliers à gauche de la place et emprunter la D91 direction "Les Mesces Casterino".
0 h 05 Pont sur la Bieugne. Eviter le sentier qui monte à gauche au poteau jalon N°72, rester sur la route. 200 m après, dans une épingle à cheveux, au poteau N° 73 s'engager sur le sentier balisé jaune direction "Lac des Mesces". Sortir sur la route 100 m plus loin, et après avoir parcouru la même distance sur celle-ci, au poteau 74 la quitter pour le sentier qui monte à droite, coupant 3 lacets de la route qu'il faut reprendre à nouveau en la retrouvant.
0 h 35 dépasser des chalets, et après la borne km 3, au poteau 75, prendre la calade* pour ressortir 100 m après. Suivre la route, en passant devant un rocher surmonté d'une croix avec une plaque en mémoire de Jean Aime, jusqu'à
1 h 00 au poteau 76. Monter dans le large chemin balisé jaune, qui reprend après le virage de la route au jalon 77.
1 h 20 Traverser le hameau Coventi (les Couvents) et sortir sur la route au poteau 78. Rester sur la route jusqu'au km 7 à
1 h 30 et 100 m plus loin, au poteau 79, abandonner la voie goudronnée pour partir à droite sur la calade.
2 h 00 Barrage E.D.F.
2 h 05 Lac des Mesces. Le retour s'effectue par le même chemin que l'aller.
4 h 00 Gare de St Dalmas de Tende.

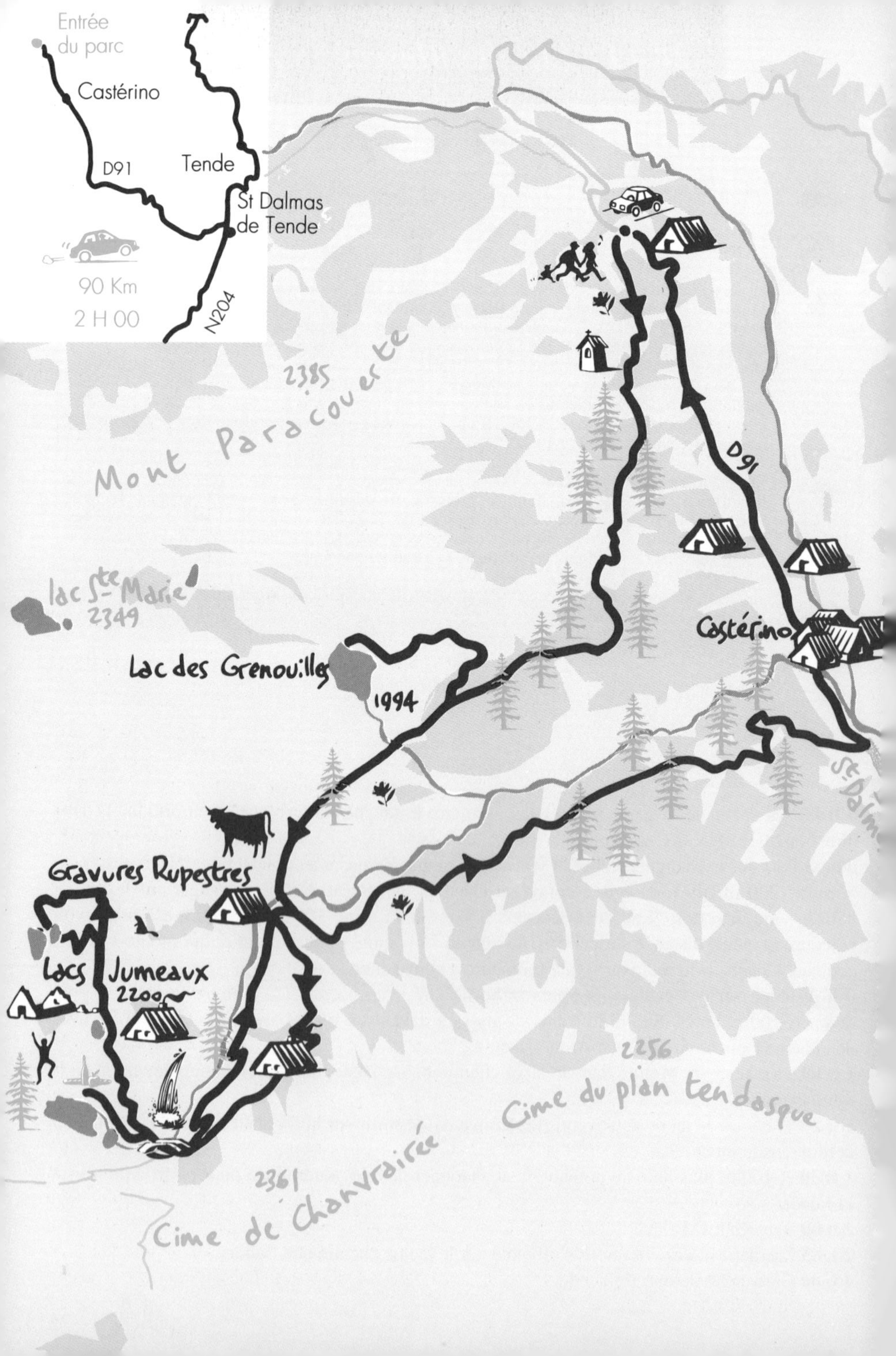

Entrée du parc

Castérino

D91

Tende

St Dalmas de Tende

N204

90 Km

2 H 00

2385

Mont Paracouerte

lac Ste Marie

2349

Lac des Grenouilles

1994

D91

Castérino

St Dalmas

Gravures Rupestres

Lacs Jumeaux

2200

2256

Cime du plan tendasque

2361

Cime de Chanvrairée

29 - Lacs de Fontanalbe

Entrée du Parc, 1700 m

2215 m - 515 m

2 h 20

1 h 40

jaune

Marmottes et chamois au bord des Lacs Jumeaux à l'aube et au couchant.

Au début de l'été rhododendrons et cytises parent la forêt de mélèzes vert tendre de leurs couleurs rouges et jaunes. A ces fleurs s'ajoutent celles des lis orangés ou martagons parsemant les pelouses émaillées de mille autres plantes, dont certaines indigènes ne se retrouvent nulle part ailleurs. Les gardes du Parc National du Mercantour très vigilants veillent au respect des règlements du parc, auxquels le randonneur devra rester très attentif.

Le hameau de Casterino (commune de Tende) est un lieu de séjour estival très agréable d'où partent de nombreux circuits pédestres. Laurence Bicknell qui le premier étudia les gravures rupestres du site dit Vallée des Merveilles, y construisit sa résidence d'été. L'hiver, c'est un centre de ski de fond offrant 25 km de pistes dammées, la route déneigée chaque année jusqu'à Casterino, le rend accessible en auto. Le Val de Fontanalbe conserve des lacs glaciaires ravissants. Les gravures qui couvrent les “Chiappes” (dalles inclinées et lissées par l'érosion glaciaire) sont très variées. Plus de 100 000 incisions y ont été dénombrées.

Cet itinéraire se déroulant sur le périmètre du Parc National du Mercantour, il est impératif de ne pas quitter les sentiers autorisés et de se conformer à la réglementation en vigueur.

0 h 00 Franchir la barrière du parc qui suit le panneau explicatif. Et s'engager sur la voie carrossable montant à gauche, en lacet, au poteau jalon 395. **0 h 15** Un oratoire renversé gît, face contre terre, à droite de la voie. **0 h 30** Eviter la route de droite, rester sur la voie pavée. **0 h 35** Jalon 392. Gravir le petit mamelon et descendre au “Lac des Grenouilles”. Revenir au poteau 392 et partir à gauche sur la route. Arriver à la vacherie de Fontanalbe à **1 h 00**. Poteau 390. Monter sur le large chemin derrière la barrière du parc. **1 h 15** Dépasser un refuge privé et le jalon 389. Au poteau 387 partir à droite. **1 h 30** Pont sur le déversoir du lac, jalon 388. Le franchir, partir à gauche sur un étroit sentier qui se faufile à travers les rochers. Passer à côté d'une mare et un peu plus loin déboucher sur le “Lac Vert de Fontanalbe”. Revenir au poteau 388 et monter à gauche, toujours sur la voie empierrée. **1 h 40** Ruines de la vacherie, suivies d'une petite mare où l'on découvre les premières gravures sur les roches rouges. **1 h 50** Refuge des gardes du Parc, au-dessus duquel d'autres gravures sont visibles. Un peu plus haut, lorsque la route fait un virage à angle droit, s'engager à droite sur un sentier qui gravit le talus. Après 10 mn de marche, de niveau à flanc de colline, arriver dans une saignée perpendiculaire au sentier. La paroi de cette saignée porte une multitude de gravures. Remonter cette saignée, puis redescendre sur l'autre versant auprès des Lacs Jumeaux. Ruine du Jas des Pasteurs. **2 h 25** Reprendre la route carrossable en descendant. Passer le pont du déversoir. Continuer jusqu'à l'endroit où un mur de soutènement sur la droite protège la route des avalanches, l'assiette est consolidée par des gros rondins de bois. **2 h 30**. Sitôt dépassé cet ouvrage, descendre à gauche vers le fond du vallon à suivre rive droite. Arriver à **2 h 50** à la Vacherie de Fontanalbe. Partir à droite sur la route, qu'il faut suivre en évitant les départs de sentiers ou de routes latéraux. **3 h 30** Route goudronnée. Aller à gauche, traverser Casterino, dépasser les chalets épars, pour arriver au parking à **4 h 00.**

Col de Brouis
N204
Libre
D2204
Sospel
Olivetta
San Michele
D2566
Castillon
57 Km
1 h 15
D90
Libre
450
Ruisseau Audin
Breil-sur-Roya
N204
870
627
Fanghetto
Olivetta-San Michele
Sospel
la Roya
Italie
Usine hydroél.
Airole 84
la Bévéra
Monte Caviglia
550
Vintimille

30 - Libre/Airole/Libre

Libre, 500 m

500 m - 300 m

2 h 00

2 h 15

Jaune jusqu'à la frontière italienne

Comme Pienne Haute, Libre, vieux village Ligure au milieu des oliviers, a été récemment rattaché à la France. Cette balade longe en haute rive gauche le pittoresque cours de la Roya et permet d'admirer les strates de ces gorges calcaires du jurassique.
La traversée de Fanghetto, petit village tout en pontis*, fait découvrir le Parc Régional Ligure dans lequel le comportement du randonneur doit être celui qu'il adopte dans les parc régionaux français (cueillette de végétaux, ramassage de minéraux et fossiles interdits, respect de la faune sauvage...).
Airole, centre important de la vallée italienne, possède une belle église baroque, restaurants et commerces.

0 h 00 Du poteau jalon N° 417 à la sortie Sud du village prendre la route goudronnée sur 300 m environ, et au jalon 413 partir à droite. **0 h 05** Poteau 412. Descendre par le sentier de droite en abandonnant la large piste. Dépasser une source captée. **0 h 25** Laisser à gauche deux ruines qui se suivent. **0 h 30** Un gué maçonné permet de franchir un petit cours d'eau. **0 h 35** Le Ruisseau Odin est enjambé par un pont antique, et le chemin gravit la berge gauche. **0 h 45** Bifurcation. Rester sur le sentier de droite. **0 h 50** L'importante ruine d'Odin, à gauche, est contournée et le cheminement continue dans des restanques* plantées d'oliviers. **0 h 55** Borne frontière au jalon 411. Entrée en Italie et dans le Parc Régional Ligure. Laisser à droite les vestiges d'un bassin, le sentier longe une bégude* et arrive à **1 h 00** devant la chapelle Notre Dame de Lourdes de Fanghetto. Passer sous le pontis devant l'église et prendre la "Via Corridoio" qui se transforme en sentier à la sortie du hameau. Descendre jusqu'au lit d'un ruisseau, le traverser et quelques mètres plus loin passer à gué le Valle del Fanghetto beaucoup plus large. Reprendre le sentier grimpant en lacet à flanc de colline, en face du passage. **1 h 20** Une source coule à droite du sentier. **1 h 35** Arriver sur un replat au-dessus du viaduc de chemin de fer, en contrebas, sur la Roya. Evoluant au milieu des cultures, le chemin s'enfonce dans la Valle dei Mantici franchie par un pont. **1 h 45** Au sentier succède une voie carrossable, bientôt cimentée. Passer la conduite forcée. **1 h 50** En bas le long de la voie ferrée s'allonge la gare d'Airole. Continuer sur la route pour atteindre l'église devant le cimetière d'Airole à **2 h 00**.
Le retour s'effectue par le même chemin que l'aller. **4 h 15** Libre.

Maurion
Saorge
N204
65 Km
1 h 30
D2204
Breil-
sur-Roya
Col de
Brouis
N204
Tende
Fontan
Coyrosina
D40
Usine
hydroélec
Forêt de Caïros
Ch^du de
Malmort
514
Saorge
832
Campé
GR52A
la Lagouna
1121
Paspus
Panigeore
970
740
N204
324
la Roya
Breil

31 - Le Château de Malmort

Vieille route de droite en cul-de-sac au bas de Saorge, 360 m

1100 m - 950 m

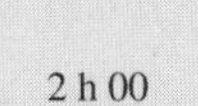

2 h 15

2 h 00

Blanc-Rouge puis Jaune

Ressemblant plus à une cité tibétaine qu'à un village provençal, Saorge a été classé "Village Monumental" et déclaré parmi les "40 plus beaux villages de France". Il est très riche en architecture sacrée ou profane : église St Sauveur des 15, 16 et 17ème, couvent des Franciscains avec peintures murales, Notre Dame del Poggio pur art romantique avec fresques du 15ème, maisons moyenâgeuses, dédale de pontis* et de venelles.
Hôtels, restaurants, commerces.

0 h 00 Partir sur la calade*, GR 52 (blanc-rouge), qui monte en lacet côté Ouest de la route poteau jalon N° 18 situé à 100 m du parking et en face (direction Tende). **0 h 10** Passage sous une ligne H.T.* en suivant une ligne téléphonique sur poteaux de bois. **0 h 15** Bifurcation : prendre à droite. **0 h 25** Dépasser une fontaine abreuvoir. **0 h 30** Nouvelle bifurcation : suivre à droite les balises du GR. **0 h 40** Négliger le sentier de droite pour celui de gauche qui s'élève dans les restanques*. Traverser le hameau de Paspus. **0 h 50** Chapelle suivie d'une fontaine avec abreuvoir. A la dernière maison du hameau ne pas descendre à gauche, longer toujours la ligne téléphonique. **1 h 10** Après une petite maison s'élever au milieu des terrasses étagées. Le sentier se rétrécit en se dirigeant en courts lacets vers un pylône T.H.T. **1 h 15** Passage sous la ligne T.H.T. **1 h 20** Hameau de Panigeore. Passer devant la plus grande bâtisse, et la contourner en montant.**1 h 25** La direction oblique vers la droite, longe un ravin sur les flancs duquel s'élèvent des constructions au milieu des restanques. **1 h 35** Bifurcation : rester sur le chemin de droite. Dépasser 2 bergeries et sortir sur une large doline*, lieu-dit Lagouna (la lagune). Contourner cette cuvette par la droite pour rejoindre une route de terre au jalon N° 173. Abandonner le GR. et partir à droite, à plat d'abord, la route descend vers une grande bergerie neuve au milieu des prés. **2 h 00** Laisser la bergerie sur la droite et en suivant à travers champs la ligne T.H.T., se diriger vers un pylône qui émerge des arbres. Prendre à droite le sentier balisé jaune. Poteau 181. Descendre vers les ruines du château et revenir à ce poteau à **2 h 30**. Eviter à droite le sentier qui descend en lacet pour suivre le chemin qui monte à gauche (par lequel on est arrivé). Rester sur ce sentier. **2 h 55** Arriver au poteau 180. Prendre à droite la direction de Cayrosina. Croisement d'un sentier perpendiculaire à négliger. Passer un ruisseau, puis laisser une construction sur la gauche. **3 h 40** Poteau 184. **3 h 50** Bifurcation : partir à gauche. Passer le torrent de Cairos sur une passerelle béton au lieu-dit Cayrosina. Suivre le chemin de droite menant à la D40 en passant sous des lignes électriques. Prendre cette route à droite pour déboucher sur la N204 à **4 h 15** devant l'usine de mise en bouteille d'eau minérale de Fontan. Suivre à droite la N204 sur 1 km pour retrouver le parking.

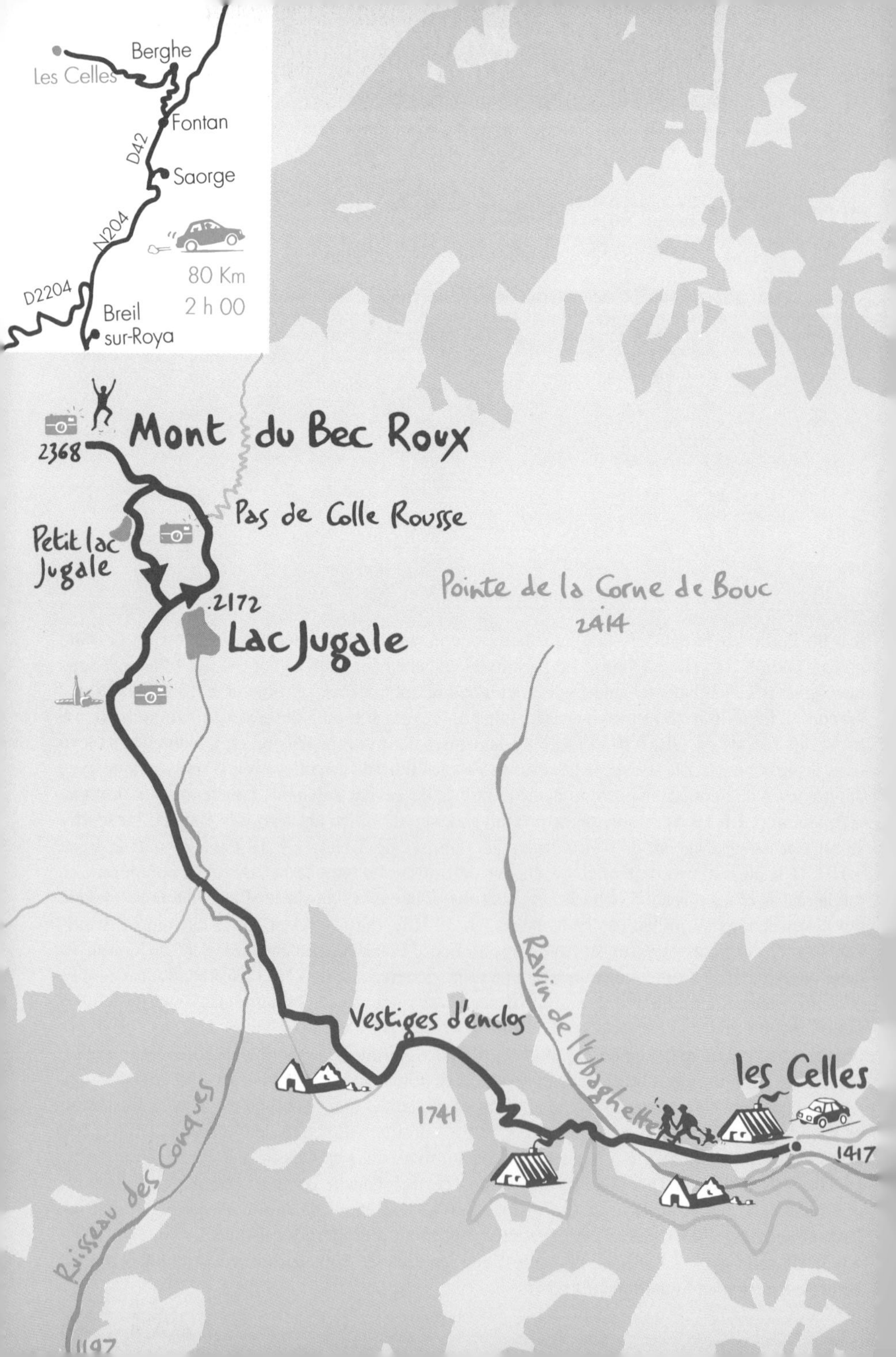

Berghe
Les Celles
Fontan
D42
Saorge
N204
80 Km
2 h 00
D2204
Breil
sur-Roya
Mont du Bec Roux
2368
Pas de Colle Rousse
Petit lac
Jugale
Pointe de la Corne de Bouc
2414
.2172
Lac Jugale
Ravin de l'Ubaghette
Vestiges d'enclos
les Celles
1741
1417
Ruisseau des Conques
1197

32 - Le Lac Jugale/ Le Bec Roux

 Entrée du Parc, 1417 m

 2368 m - 975 m

 2 h 40

 1 h 50

 Jaune

Du mont du Bec Roux, une vue cavalière sans pareille s'étale sur la Vallée des Merveilles et la constellation de ses 13 lacs.

 Hôtel, restaurants à Fontan.

Sitôt après Fontan, la D42 monte acrobatiquement au milieu des châtaigniers et constitue à elle seule une étape touristique. Berghe Inférieur, un village du bout du monde termine la route. S'engager sur la piste pastorale des Celles, rive gauche de la Ceva, vaut bien une approche dans un massif lointain, d'autant que le dernier loup a été abattu dans ces lieux sauvages en 1981.

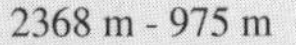

0 h 00 Du Pont des Celles, venir aux bergeries situées au bord de la route avant le parking. Au poteau jalon 229, prendre le sentier balisé jaune-vert très herbeux qui s'élève parallèlement au cours d'eau et à une ligne électrique sur poteaux bois.
0 h 05 Laisser sur la gauche des ruines de bergeries à hauteur d'un rocher marqué d'une croix blanche. Longer la lisière du bois dans les prés fleuris. L'ancien chemin, très embroussaillé, monte entre deux murs de pierres sèches.
0 h 15 Franchir l'Ubaghette, et monter à gauche jusqu'au poteau 230.
0 h 30 Continuer à flanc de colline, puis arriver dans une baisse* au jalon N° 231 à hauteur d'importants vestiges d'enclos de pierres sèches.
0 h 40 Traverser ces enclos en gagnant le couvert et cheminer en montant en écharpe.
1 h 05 Au sortir du bois, lieu-dit Les Conques s'engager dans le vallon en s'élevant à travers des prés étagés.
1 h 40 Le sentier aborde le flanc du coteau et grimpe pour franchir le Pas de Jugale qui constitue le verrou du lac. Prendre à droite au poteau 232.
1 h 50 Lac Jugale. Contourner le lac par le Nord et arriver au Pas de la Colle Rousse à
2 h 20. Abandonner le sentier qui descend vers le Vallon de la Minière, pour partir à gauche le long de la crête. Après un petit sommet, arriver dans une baisse puis, partant à gauche, gravir la pente du Bec Roux.
2 h 40 Sur le replat, vue cavalière unique sur la Vallée des Merveilles, la dizaine de lacs qui la parsème et le Mont Bégo qui domine le paysage. Revenir à la baisse, et descendre directement au petit lac Jugale à travers les gros rochers.
3 h 00 Retrouver le sentier au Nord du grand lac Jugale et rebrousser chemin par la même voie que la montée. Pont des Celles **4 h 30**.

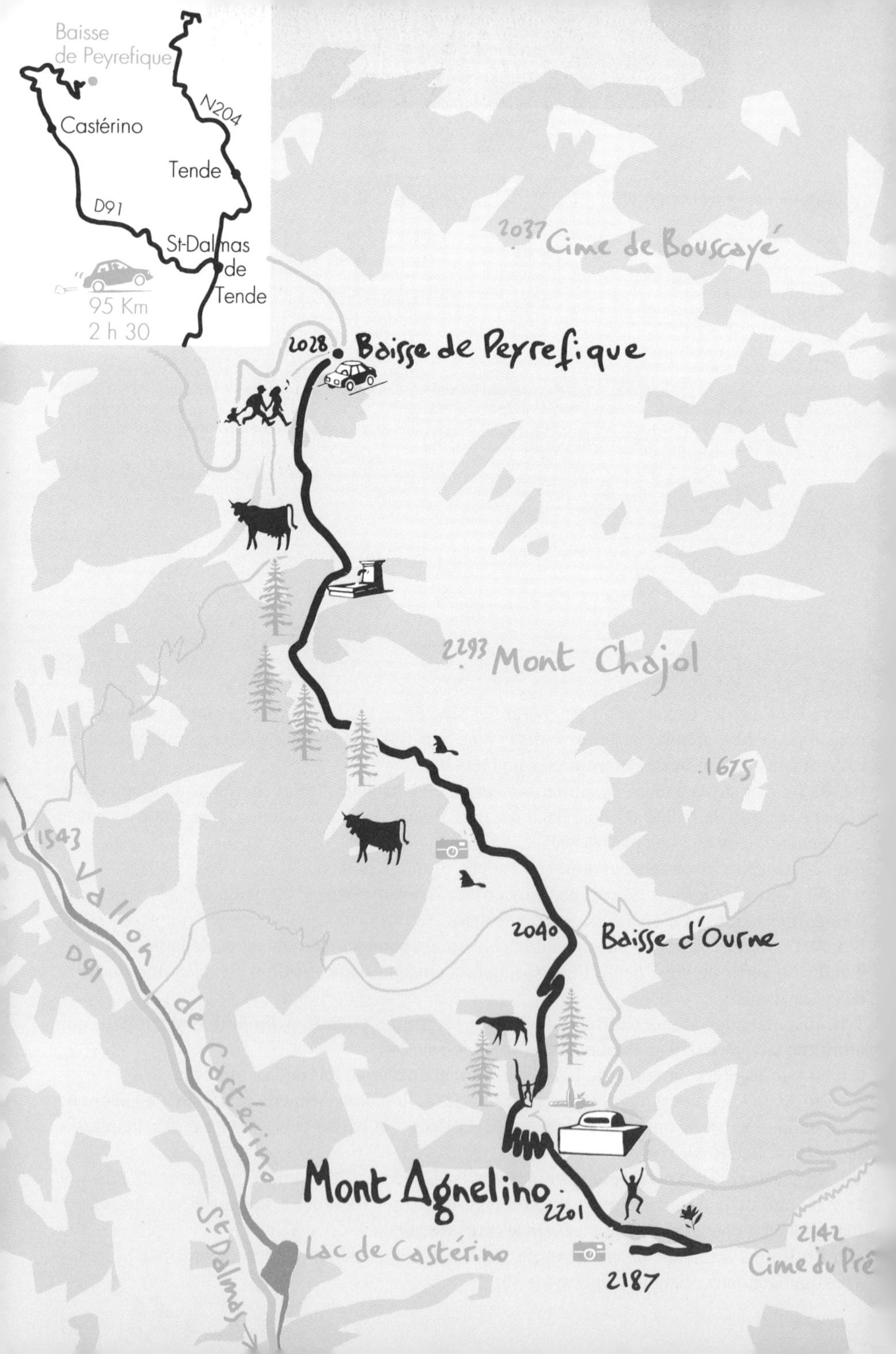
Baisse de Peyrefique
Castérino
N204
Tende
D91
St-Dalmas de Tende
95 Km
2 h 30
2037 Cime de Bouscayé
2028 Baisse de Peyrefique
2293 Mont Chajol
1675
1543
Vallon de Castérino
D91
2040 Baisse d'Ourne
Mont Agnelino
2201
St-Dalmas
Lac de Castérino
2187
2142
Cime du Pré

33 - Le Mont Agnelino

 Baisse de Peyrefique, 2028 m 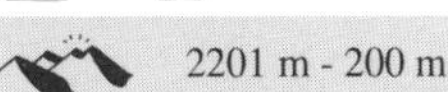 2201 m - 200 m

 2 h 30 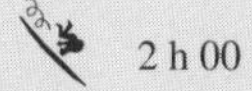 2 h 00  Jaune

 La route stratégique qui conduit de l'entrée du parc à la Baisse de Peyrefique (pierre fichée ou plantée) est bien carrossable. Seuls 2 ou 3 passages en cassis sont à aborder avec lenteur. De la Baisse de Peyrefique partent de nombreuses excursions en zone périphérique du parc. Celle proposée ici embrasse de beaux panoramas à partir de la Baisse de L'Ourne.

 Les prés qui bordent la route sont émaillés de fleurs de montagne telles que : épervières, doronics, arnicas, grandes gentianes jaunes, et tant d'autres. La crête du Mont Agnelino est tapissée de gentianes bleues à mi-juillet, d'edelweiss et d'épervières laineuses en août.

 La végétation en "coussins" adoptée par les pins à crochets atteste des rigueurs des intempéries subies à cet endroit et les a transformés en "bonzaïs" dont la grosseur des troncs révèle l'âge canonique.

 Hôtels, restaurants à Castérino.

0 h 00 Partir en légère pente sur la large voie carrossable en suivant l'indication du poteau jalon 369 vers "Mont Agnelino".
0 h 20 En contournant le Mont Chajol par l'Ouest la route passe devant la Fontana Alda, source d'eau potable et abreuvoir, en amorçant la montée. Des bornes kilométriques en pierre verte de Tende jalonnent la route. Arriver à la Baisse de l'Ourne jalon 356 à
0 h 50. Beau panorama sur le Col de Tende au Nord et l'ancienne route du sel qui y monte en lacet suivi à l'Est par le massif du Marguareis. Prendre la route montant à droite en larges lacets.
1 h 05 Deux gros rochers forment une brèche par où passe la route qu'il faut prendre en évitant celle de gauche. Beau point de vue sur le Val de Casterino à l'Ouest, et le Val de Fontanalba surmonté du Mont Bégo au Sud. A la bifurcation suivante partir à gauche et par les courts lacets qui montent sous d'anciens blockhaus, atteindre le poteau 355. Continuer à droite à s'élever à flanc de coteau. Arriver au jalon 354 à
2 h 25. Monter sur la ligne de crête et la suivre à droite sur une centaine de mètres pour arriver au sommet de l'Agnelino. Le retour s'effectue par le même chemin que l'aller.
4 h 40 Arriver au parking.

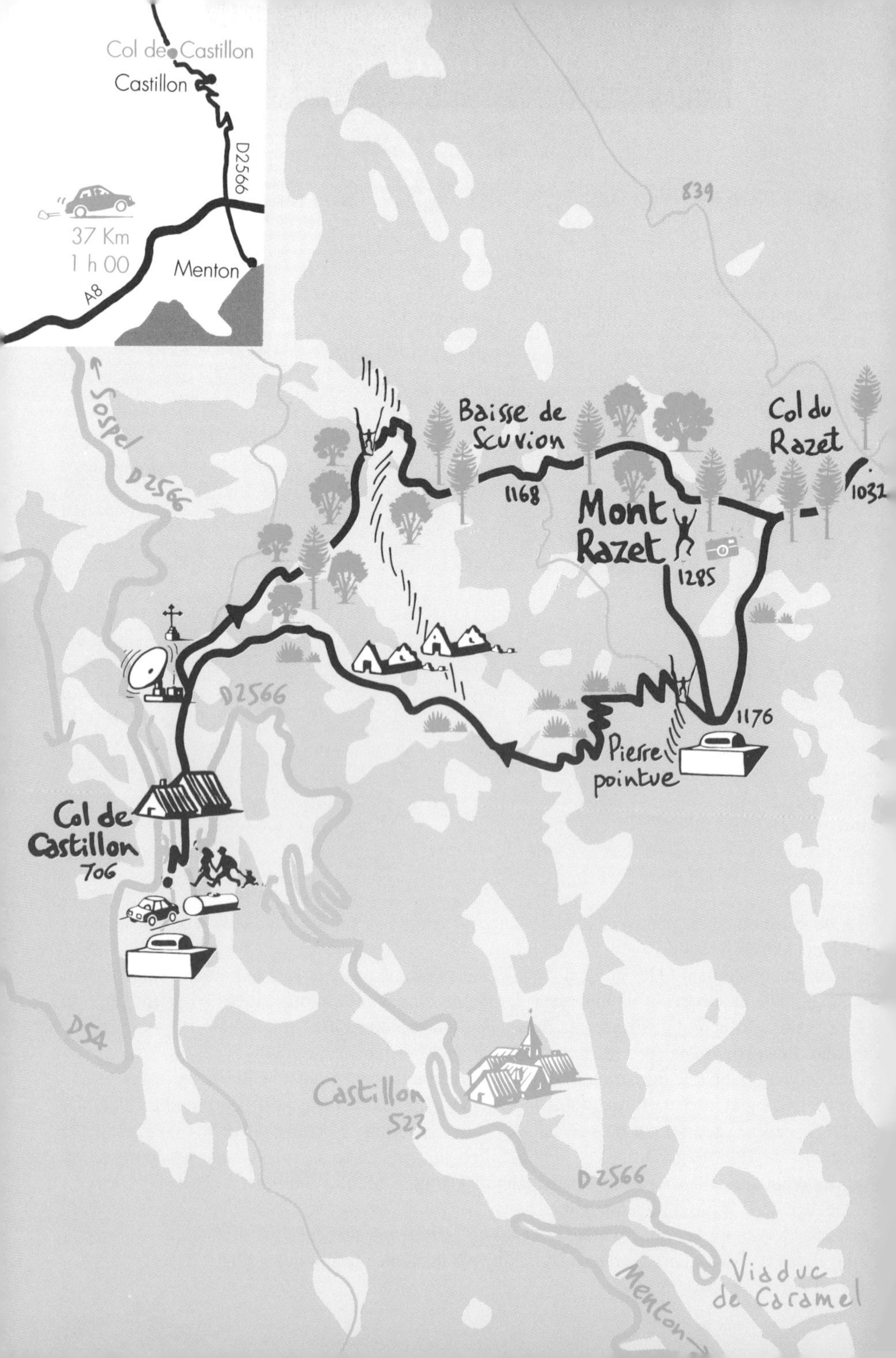

Col de Castillon
Castillon
D2566
37 Km
1 h 00
Menton
A8
Sospel
D2566
Baisse de Scuvion
1168
Mont Razet
1285
Col du Razet
1032
839
1176
Pierre pointue
D2566
Col de Castillon
706
D54
Castillon
523
D2566
Viaduc de Caramel
Menton

34 - Le Mont Razet

 Col de Castillon, blockhaus et citerne D.F.C.I.*, 707 m

 1285 m - 750 m

 2 h 35  2 h 15 Jaune

 Chênes blancs et pins sylvestres au début de la balade. Puis les charmes houblon reconnaissables à leurs châtons en écailles, identiques à ceux du houblon. Alisiers, érables, pins sylvestres, chênes blancs, massifs de houx.

 En passant sur la pente Sud, c'est alors la garrigue provençale qui occupe le terrain où chênes verts, cades, genévriers, et lentisques, se disputent les rares coins de terre avec le romarin et le thym qui s'accrochent aux rochers déchiquetés de ce paysage karstique* devenant hallucinant à la Pierre Pointue, brûlé par le soleil.

Hôtel, restaurants, commerces au nouveau village de Castillon.

Attention : randonnée à éviter par temps de pluie (pierres roulant sous les pieds à la descente à partir de la Pierre Pointue). Il est recommandé de revenir par le chemin de l'aller en cas de mauvais temps.

0 h 00 De la grosse citerne de D.F.C.I.* prendre la direction Nord sur une route goudronnée balisée jaune. Abandonner la route pour emprunter le chemin de gauche à la bifurcation qui suit une antenne de télécom. Direction Baisse de Scuvion. **0 h 25** A travers les échappées, on peut voir les glacis* du Fort du Barbonnet sur la gauche, planté sur le mont du même nom. **0 h 45** Laisser à gauche le chemin pour le German et continuer à monter à droite, pour atteindre peu après la cote 1081. Après le passage d'une brèche, continuer presque horizontalement quelques minutes et aborder la montée en lacet de la Baisse de Scuvion. A droite part un sentier allant directement à la Pierre Pointue qu'il faut négliger. **1 h 15** Baisse de Scuvion cote 1168. La vue s'étale sur la cuvette de la Bevéra. Partir à droite en légère descente d'abord puis à peu près de niveau ensuite à l'ubac du Mont Razet. **1 h 25** Franchir une nouvelle brèche, et descendre vers le "Col de Roulabre" atteint à **1 h 35**. Du col partent, à droite le sentier conduisant à la Pierre Pointue et à gauche celui qui descend au "Col du Razet" où passe le GR 52 (de Sospel à Castellar). L'aller-retour au Col du Razet s'effectue en 20 mn. **1 h 55** De retour au Col de Roulabre, après être descendu au Col du Razet, prendre le sentier conduisant à la Pierre Pointue sur l'adret du Mont Razet. **2 h 15** Blockhaus de la Pierre Pointue cote 1176. De là, monter à la table d'orientation sur la cote 1285 (30 mn aller-retour) en prenant Nord, derrière le fortin, le sentier de chèvres qui suit la ligne de partage des eaux. Panorama très étendu qui permet même, par temps clair, d'apercevoir la Corse. Revenir au blockhaus. Descendre et franchir une nouvelle brèche. Le chemin en lacet est assez raide, se méfier des pierres roulant sous les pieds. Par mauvais temps rebrousser chemin. **2 h 45** A droite part le sentier direct vers le Col de Scuvion, à éviter, et à la bifurcation qui suit, à 5 mn de là, négliger la branche de gauche. **3 h 25** Nouvelle bifurcation, partir à droite. De même quelques minutes plus tard. **3 h 45** Du pied de la barre rocheuse contournée, contempler le relief, très particulier, tout hérissé de roches pointues, laissé, sur la gauche, derrière soi. **4 h 05** Ruines des Granges de Fontanelle. La voie est maintenant carrossable et rejoint l'embranchement passé à l'aller au début du parcours. **4 h 50** Point de départ.

Vésubie - Tinée - Mercantour

	Temps de marche aller-retour
35 - Arboretum de Roure	1h00
36 - La Chapelle Ruinée de St-Martin	1h40
37 - Cime de la Colmiane	1h40
38 - Col de Salèse	1h50
39 - Le Lac des Adus	1h15
40 - Au Balcon de St-Sauveur	2h00
41 - Le Mont Tournairet	2h25
42 - La Madonne d'Utelle	2h00
43 - Clans	3h00
44 - Les Granges de la Brasque	3h30
45 - Le Lac de Très Colpas	3h30
46 - Les lacs et la Baisse de Prals	3h25
47 - Lacs Nègre et de la Graveirette	3h45
48 - Les Lacs Niré	2h45
49 - Les Lacs de Vens	5h00
50 - Le Vallon de Mollières	5h00
51 - Le Tour de Sestrière	5h40
52 - Les Lacs de Lausfer	5h40

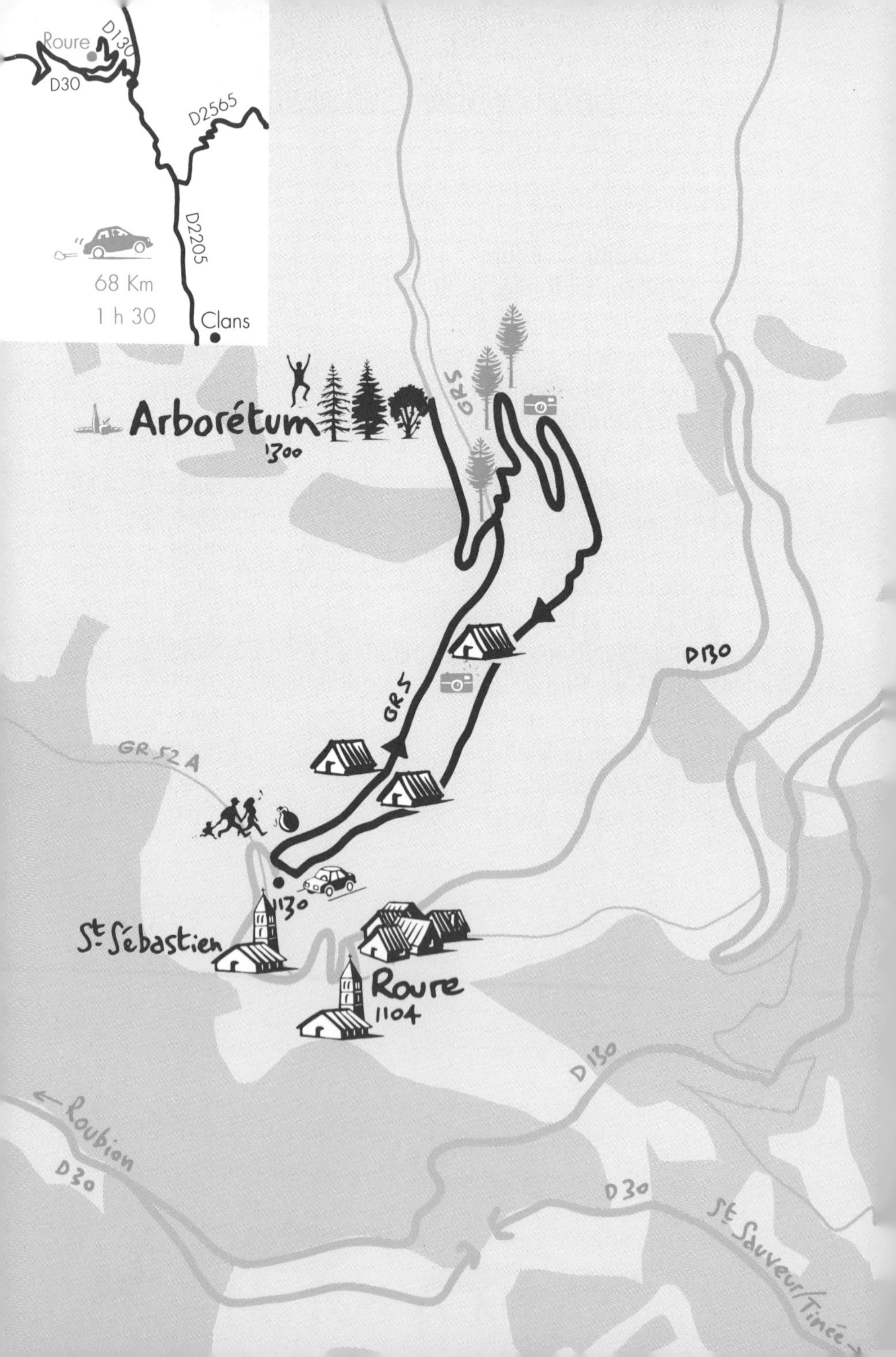

Roure
D130
D30
D2565
D2205
68 Km
1 h 30
Clans
Arborétum
1300
GR5
D130
GR5
GR 52 A
1130
St Sébastien
Roure
1104
D 130
Roubion
D30
D 30
St Sauveur/Tinée

35 - Arboretum de Roure

Au plus haut du village, derrière la chapelle St Sébastien, 1130 m

1300 m - 170 m

0 h 35

0 h 25

Blanc-Rouge

Déjà cité au 11ème siècle, Roure a un très riche patrimoine artistique ancien : fresques de A. Cella dans la chapelle St-Sébastien ou rétable de Brea dans son église composite de St Laurent dont le clocher mur est d'un style assez peu courant dans la région. Suspendu à 700 m au-dessus de la Tinée, d'un côté, à-pic de 600 m sur la Vionène, de l'autre, ce vieux village avec ses toitures de lauzes en schiste rouge voit se croiser les GR 5 et 52A.

L'arboretum présente des espèces variées, importées du monde entier, tant en feuillus de montagne (érables) qu'en conifères exotiques (tels les cèdres de différents pays et les ginkos biloba, vrais survivants d'une espèce fossile d'une sylve vivant il y a 200 000 ans, et seul végétal qui repoussa de ses racines à Hiroshima après sa destruction par la bombe atomique).

Restaurants à Roure, hôtels restaurants et commerces à St Sauveur sur Tinée.

0 h 00 Prendre la route goudronnée qui continue direction Nord et se termine à hauteur de 2 poteaux jalons 240.

0 h 05 Au second poteau, partir à droite en suivant le balisage blanc-rouge du GR 5 qui monte plein Nord, alors qu'à gauche le GR 52A s'en va horizontal direction Ouest. Bien caladé* le GR 5 s'élève en pente régulière entre des maisons bâties de schistes rouges. Passer un dalot* suivi de la découverte d'un très beau panorama sur le village de Roure et sur la vallée de la Tinée. Cheminer le long d'une restanque* au pied de laquelle s'écoule une eau cascadante dans un petit béal* de schistes rouges.

0 h 20 Dépasser la dernière grange en montant toujours et en négligeant les départs de sentiers à droite ou à gauche de la calade qui ne conduisent que vers des pâtis.

0 h 30 Déboucher sur une large piste forestière. A gauche, un panneau fléché indique la direction de l'arboretum, suivre cette indication en abandonnant le balisage blanc-rouge du GR 5 qui continue plein Nord. Dans un virage de la route, un sentier monte à gauche et conduit dans "l'aire aux érables". Continuer sur la voie forestière s'élevant au milieu de pins sylvestres et des premiers mélèzes.

0 h 35 Entrée de l'arboretum, flanquée d'un ginko biloba ou "arbre aux quarante écus". Le retour s'effectue par la piste forestière qu'il faut suivre en descendant en lacet jusqu'à Roure. Tout le long de cette voie s'étale au Sud-Est un panorama grandiose.

0 h 55 Arriver aux poteaux 240.

1 h 00 Point de départ.

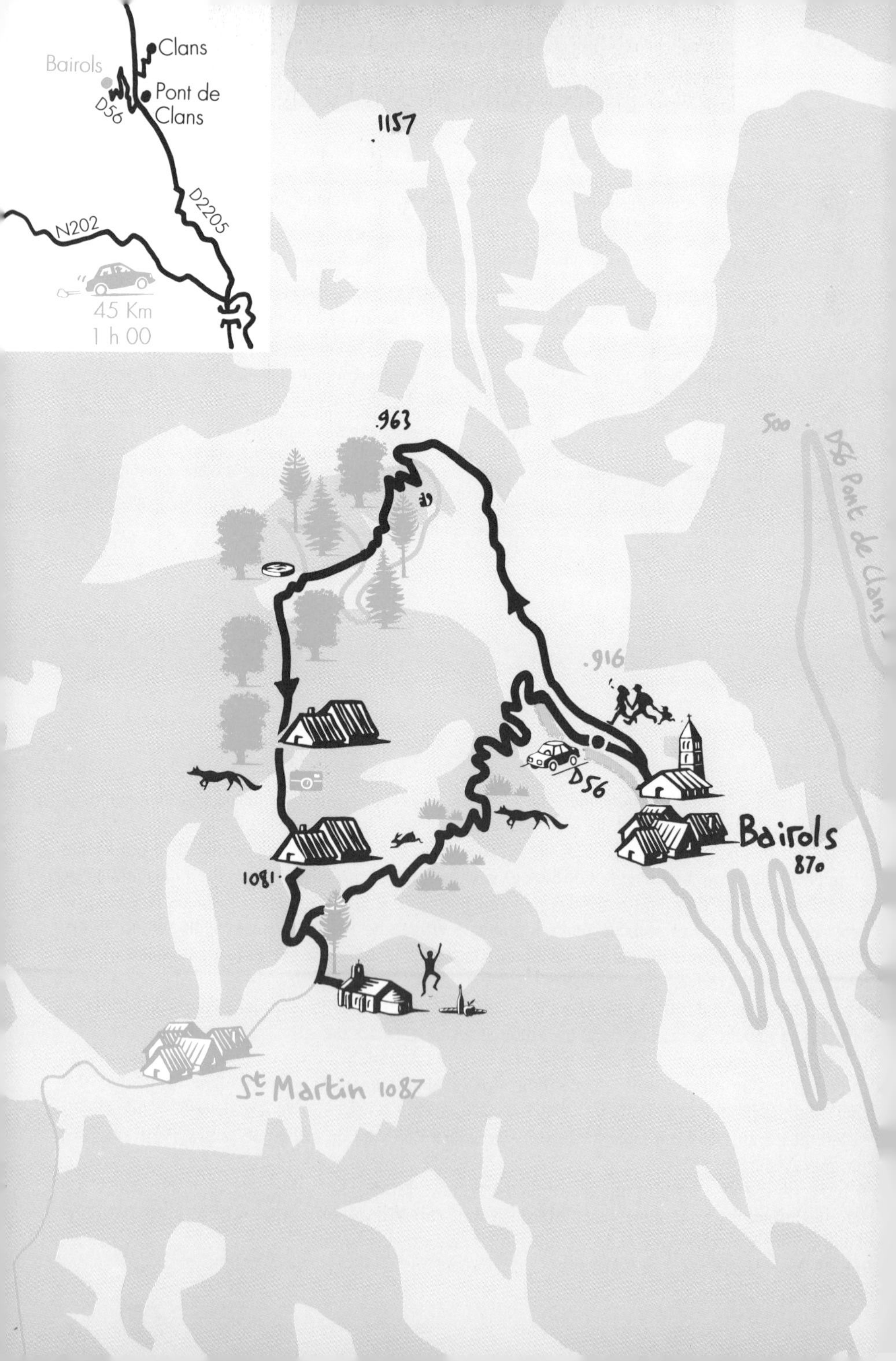

Clans
Bairols
Pont de Clans
D56
D2205
N202
45 Km
1 h 00
1157
963
500
D56 Pont de Clans
916
D56
Bairols
870
1081
St Martin 1087

36 - La Chapelle Ruinée de St Martin

 Entrée de Bairols, 870 m  1087 m - 217 m

 1 h 00  0 h 40  Jaune

Partant du village médiéval de Bairols planté sur un promontoire surplombant la Tinée de 500 m, cette balade très agréable serpente au milieu des châtaigniers en montée très progressive.

Les panoramas sur la vallée de la Tinée, les villages de Bairols, Clans, Marie, Rimplas, ont une grande amplitude. Les ruines de la chapelle St Martin dominent ce beau paysage. La descente par l'adret*, sec, de la montagne des Quatre Cantons contraste, de par sa nature méditerranéenne, avec les ombrages feuillus découverts en montant. La visite du village permet de comprendre l'architecture et l'urbanisme médiéval des villages perchés du Pays niçois.

Restaurants à Bairols et Pont de Clans.

0 h 00 Du parking à l'entrée du village prendre à gauche la voie goudronnée au poteau 188 indiquant "Circuit des Châtaigniers".
0 h 10 En laissant à droite la route qui monte à la Condamine* : passer un dallot*, pénétrer sous un couvert de châtaigniers. Au poteau 189 abandonner la route pour s'engager sur une calade*, pavée de grès, balisée jaune montant à droite en lacet dans un bois de châtaigniers, de pins sylvestres et d'épicéas, à travers des restanques* millénaires.
0 h 25 A la rencontre d'un sentier perpendiculaire, prendre à droite. Déboucher sur une voie revêtue et à quelques 10 pas de là, tourner à gauche en montant sur le sentier. Peu après la vue se dégage sur Bairols et le chemin sort à hauteur d'une citerne sur une route forestière à traverser pour retrouver la calade à gauche de la citerne.
0 h 40 Un peuplement de pins sylvestres succède aux châtaigniers.
0 h 50 Hameau St-Martin. Remarquer le petit habitat rural encore couvert de chaume de seigle, caractéristique de l'architecture campagnarde du Haut Pays niçois. Deux ou trois mn après, un raidillon descend à gauche pour rejoindre la voie forestière où se trouve le poteau 190. Prendre la route à droite jusqu'à un petit col. Là, pénétrer à gauche dans un bosquet qui couronne une colline pour arriver à
1 h 00 à la chapelle ruinée de St Martin. Lieu de pique-nique. Revenir au poteau 190 et descendre à droite à hauteur du jalon sur le sentier qui serpente, totalement exposé à l'adret, en pleine garrigue provençale.
1 h 30 Au poteau 191, à la sortie du ravineau reprendre la route vers le village pour arriver au parking à **1 h 40.**

la Colmiane
D2565
St-Martin Vbie
St Dalmas de Valdeblore
D2565
Roquebillière
70 Km
2 h 00
St Martin Vésubie
D 2565
D 2565
la Colmiane
Col St Martin
1500
GR 52 A
Le Suc
1656
1670
GR 5
St Dalmas de Valdeblore
le Conquet
1776
1790
Cime de Colmiane
GR 5
1710
Col du Vardaire
GR 5
2087. Le Caire Gros

37 - Cime de la Colmiane

 Col St Martin, 1500 m  1790 m - 290 m

 0 h 50 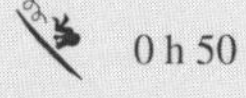 0 h 50  Blanc-Rouge puis Jaune

 Du sommet de la Colmiane, une vue panoramique de 360° coupe le souffle. Des tables d'orientation judicieusement disposées permettent l'identification de tous les sommets du Mercantour. L'hiver la petite station de ski accueille de nombreux amateurs. Le GR 52 poursuit sa route, après le Col de Varaire, en direction de Nice, franchissant le Col des 2 Caires et le Mont Tournairet. Le retour se déroule dans le splendide Bois Noir qui tapisse la pente Nord du relief.

 Restaurants, hôtels à St Dalmas (8 km après le Col St Martin en descendant vers la vallée de la Tinée), ou à St Martin Vésubie.

0 h 00 Du Col St Martin prendre au poteau jalon 93 la route de terre qui part à gauche en légère montée.

0 h 15 Dans une boucle de la route, au Col du Suc quitter celle-ci pour monter, à droite, en direction du pylône du téléski de St Dalmas par la pente herbeuse.

0 h 25 Au pylône, obliquer à gauche pour grimper en suivant la plus grande pente, vers un replat et ensuite vers les têtes des remonte-pentes couronnant le sommet et le bâtiment de la station.

0 h 50 Cime de la Colmiane : 3 panneaux panoramiques permettent un tour d'horizon et une identification des sommets sur 360°.

Descendre à droite dir. Sud Ouest le long de la crête pour arriver à

1 h 00 au Col de Varaire. Poteau 310. Balisage blanc-rouge du GR 5 qu'il faut prendre en descendant à droite, sous le couvert d'épicéas et de mélèzes. Laisser une ruine sur la droite.

1 h 10 Jalon 98, abandonner le GR 5 qui descend à gauche, pour suivre à droite le chemin balisé jaune.

1 h 20 Poteaux 94, croisement de chemins. Prendre à droite au deuxième poteau la piste forestière presque horizontale, en négligeant celles qui descendent à gauche, et celle qui monte à droite.

1 h 40 Col St Martin.

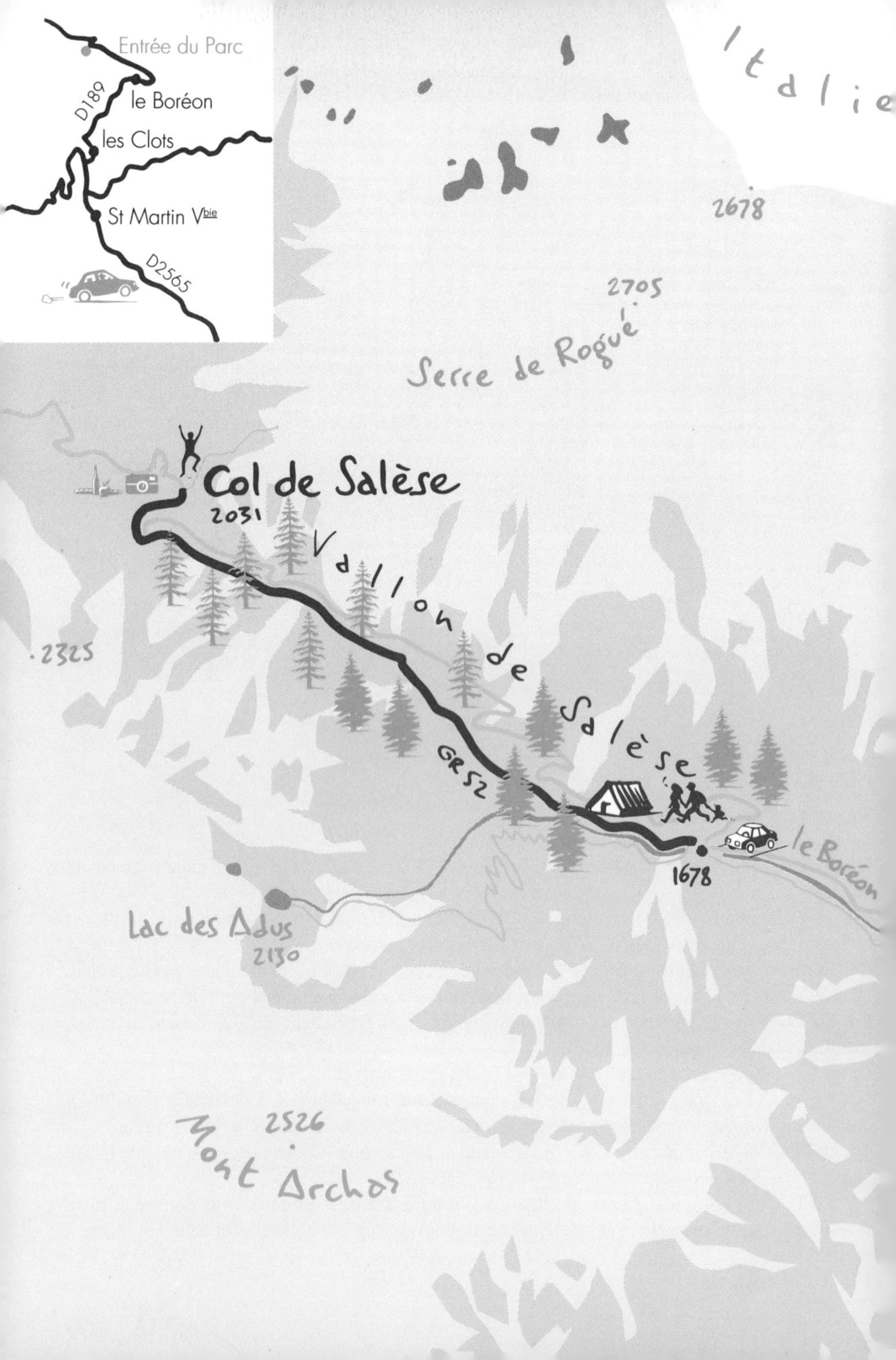

Entrée du Parc
le Boréon
D189
les Clots
St Martin Vbie
D2565

Italie
2678
2705
Serre de Rogué
Col de Salèse
2031
Vallon de Salèse
2325
GR52
1678
le Boréon
Lac des Adus
2130
2526
Mont Archas

38 - Le Col de Salèse

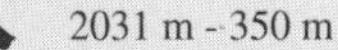

Entrée du Parc, 1700 m

2031 m - 350 m

1 h 00

0 h 50

Blanc-Rouge

Restaurants, hôtels et gîte d'étape au Boréon, et gîte d'étape à quelques minutes de l'entrée du Parc, au bord du chemin.

Le Col de Salèse, sur la route de Mollières dominé à gauche par le Caire Archas, est aussi accessible en auto, mais la circulation y est interdite sauf pour les habitants de Mollières et de Valdeblore détenant un laisser-passer délivré par le Parc National du Mercantour. Ce col constitue un point de départ de nombreuses randonnées en toutes directions. Il est bon de connaître le chemin d'accès à ce col, car si le Parc met une navette à disposition des randonneurs pour leur permettre, dans les longues courses, de gagner 1 h 50 de marche, le nombre de places est limité à 8 personnes par voyage toutes les heures ; ce qui veut dire qu'en pleine saison la demande est souvent supérieure à la capacité du petit car. Le GR 52 monte en pente régulière sous un agréable couvert en longeant le ruisseau de Salèse et constitue une belle promenade sur un chemin de bonne assiette.

0 h 00 De l'entrée du Parc National du Mercantour, partir par le sentier balisé blanc-rouge GR 52 au poteau jalon 434. Eviter le chemin de gauche et la passerelle, pour rester sur la rive gauche du cours d'eau.
0 h 05 Granges, vacherie et refuge de Salèse.
0 h 10 Franchir la passerelle de rondins et s'élever au milieu de la forêt de conifères.
0 h 15 La route touche le sentier, rester sur celui-ci.
0 h 25 Négliger le chemin qui à gauche monte vers Les Adus. Le sentier s'élargit.
0 h 35 Nouveau passage tangentiel de la route. Même chose 5 mn après, la suivre en bordure sur une dizaine de mètres, en gardant les balises blanc-rouge.
0 h 55 Sortir sur la route au jalon 435 la suivre jusqu'à
1 h 00 Col de Salèse poteau 436. Le retour s'effectue par le même trajet que la montée.
1 h 50 Parking.

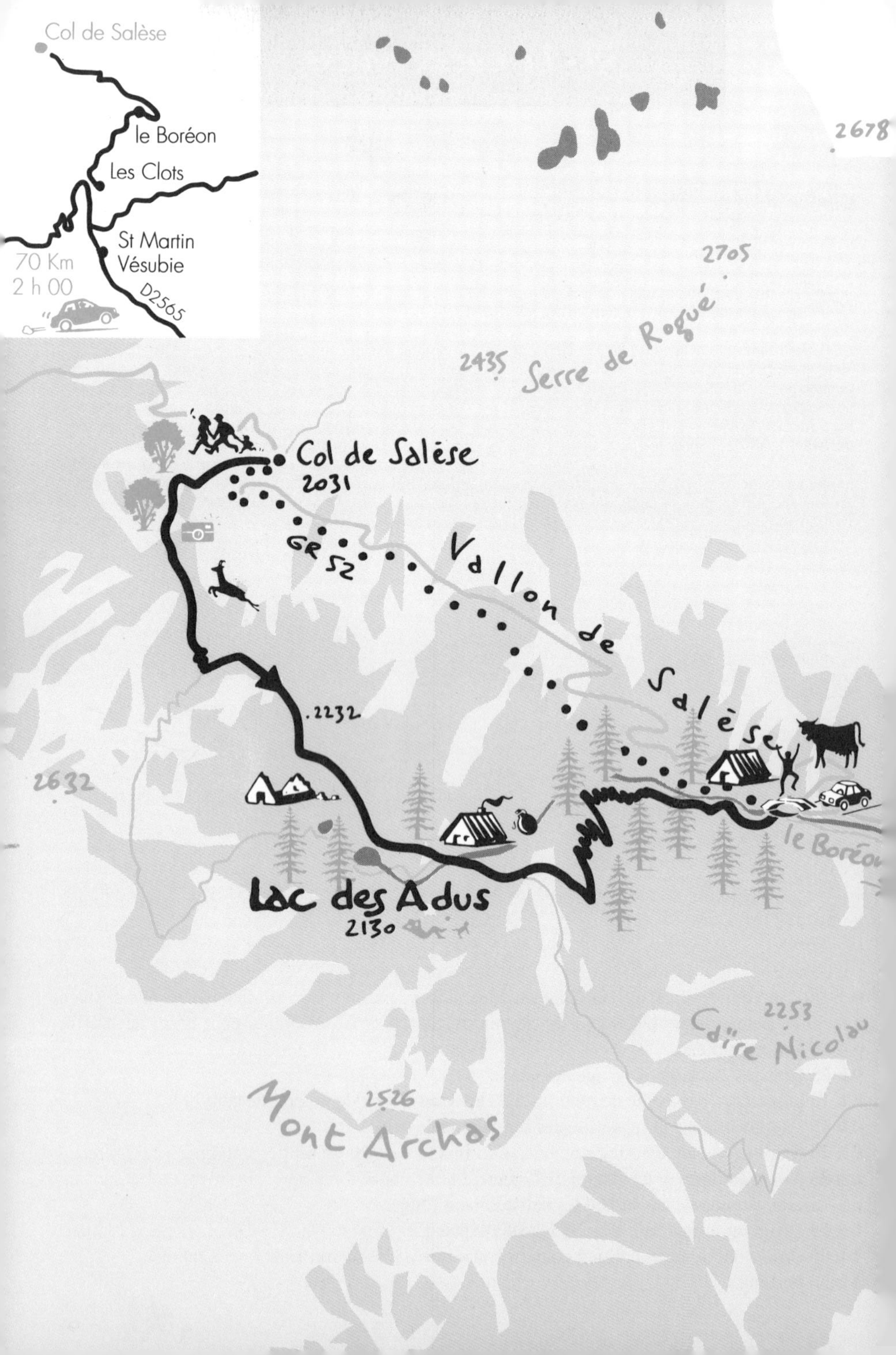
Col de Salèse
le Boréon
Les Clots
St Martin
Vésubie
70 Km
2 h 00
D2565
2678
2705
Serre de Rogué
2435
Col de Salèse
2031
GR 52
Vallon de Salèse
.2232
2632
Lac des Adus
2130
le Boréon
2253
Cd'ire Nicolau
2526
Mont Archas

39 - Le Lac des Adus

 Entrée du Parc à la vacherie de Salèse sur la route de Mollières Col de Salèse 2031 m. (ou 1700 m entrée du Parc)

 2232 m - 200 m (ou 550 m)

 0 h 45 (ou 1 h 45)

 1 h 05 (dans les 2 cas)

 Jaune

Voir balade n°38 pour la montée à pied au Col de Salèse. Prévoir dans ce cas 1 h 00 et 350 m de plus en montée.

Le charmant lac des Adus est un petit lac glaciaire blotti dans le creux d'une combe herbeuse, ceinturée de mélèzes qui incitent au pique-nique ou à.....la sieste. Le refuge brûlé a été remplacé par un chalet à côté d'une source abondante à 5 minutes du lac, en descendant. Au début de l'été la flore de la combe est resplendissante de couleurs et de variétés. Au mois d'août le vert tendre règne en maître sur le paysage. La descente très pentue zigzague dans le mélèzin et les pierriers, sur un sentier de bonne assiette.
Hôtel, restaurants au Boréon, refuge et gîte d'étape Ski Club de Nice à l'entrée du Parc.

Au cas où la navette du Parc National du Mercantour n'est pas utilisée, suivre la balade n°38 jusqu' au Col de Salèse.

0 h 00 Du Col de Salèse au poteau jalon 436 s'engager sur le sentier de droite qui grimpe le long de la plus grande pente en direction Lac des Adus.
0 h 15 Surplomber le Vallon de Salèse.
0 h 25 Arriver dans une cuvette et monter en face pour atteindre le poteau 437 à
0 h 35. Partir à gauche.
0 h 40 Dépasser les ruines du refuge brûlé et descendre vers le Lac des Adus.
0 h 45 Du lac descendre Est par le sentier à gauche du lac.
0 h 50 Poteau 395. Chalet refuge, source. Continuer jusqu'au jalon 396. Là, descendre à gauche par de multiples lacets et des passages de pierriers.
1 h 05 Longer le ruisseau Des Adus rive droite.
1 h 10 arriver à hauteur de la Vacherie de Salèse et refuge du Ski Club de Nice, situés sur la rive gauche du Vallon de Salèse ; il faut continuer à descendre rive droite.
1 h 15 Poteau 397, franchir la passerelle et au jalon 434, entrée du Parc.

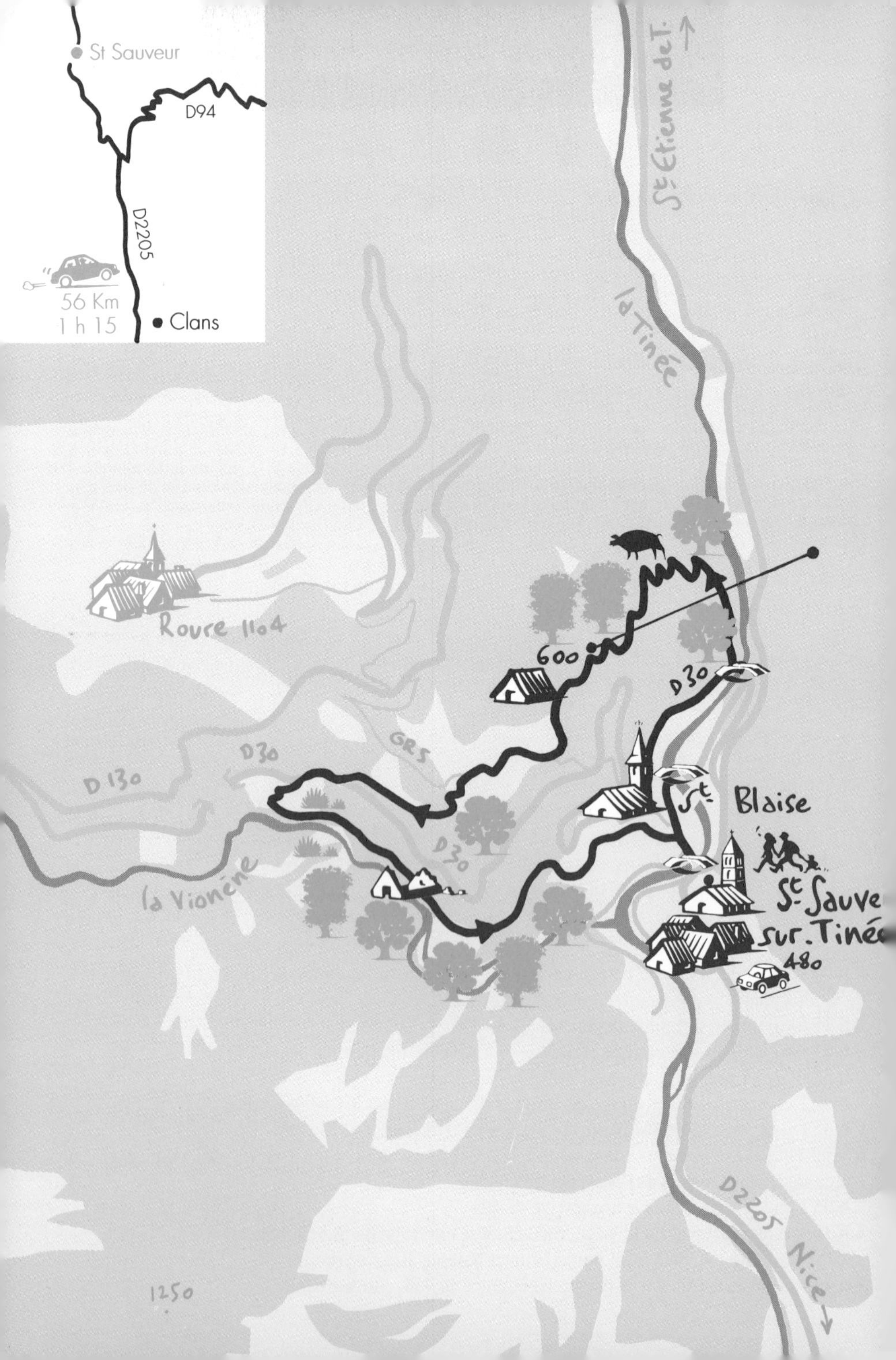
St Sauveur
D94
D2205
56 Km
1 h 15
Clans
St Etienne de T.
la Tinée
Roure 1104
600
D30
GR5
D130
St Blaise
la Vionène
St Sauveur sur Tinée
480
D2205
Nice
1250

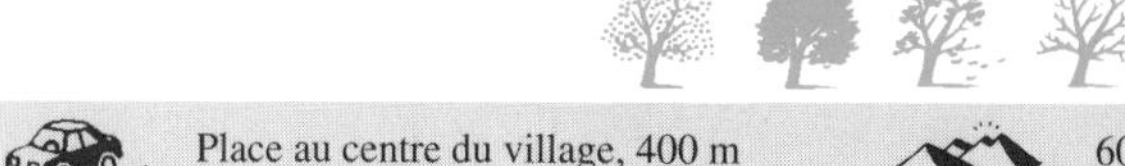

40 - Au Balcon de St Sauveur

 Place au centre du village, 400 m

 600 m - 120 m

 0 h 30  1 h 30

 Jaune, Blanc-Rouge et parfois Bleu, il s'agit là d'un balisage dû à l'initiative de F. Morenas qui dans la collection "Regain" décrivait les parcours qu'il avait balisés.

Traces de labour des sangliers qui fréquentent ces bois.

 Tables et bancs au bord de la rivière, avant le pont sur la D30.

 Hôtel,restaurants, alimentation.

 Une visite du village s'impose, après la randonnée, pour voir ses vieilles ruelles et les linteaux ornés et datés, son église, au clocher roman lombard du 14ème siècle, contenant un magnifique rétable dû à Guillaume Planeta (1483) et de belles peintures et statues de différentes époques.

Au cours de cette promenade la rencontre d'habitats traditionnels bâtis et couverts de lauzes en schistes rouges du Barrot rappelle qu'autrefois une activité agricole accrochée à la montagne était très vive sur ces pentes abruptes.

0 h 00 Sortir du village par le Nord et descendre à droite vers le collège et la gendarmerie. Franchir le pont St Blaise et arrivé au poteau jalon 232 partir à droite en longeant le collège. Après la passerelle bétonnée, suivre la lisière des terrains de sport, traverser le terrain de camping-caravaning. Déboucher sur la D30, passer le pont et au jalon 233 prendre rive droite de la Tinée le sentier fléché "Circuit du Giut" à **0 h 10**. Le sentier monte et enjambe la conduite forcée. A la bifurcation qui suit prendre à gauche pour continuer à grimper en lacet, dans un peuplement de chênes blancs et de châtaigniers. **0 h 20** Rencontre de la conduite forcée le long de laquelle le chemin s'élève en lacet au milieu des restanques*. **0 h 30** Passer de l'autre coté de la conduite forcée et quelques 5 mn après, déboucher sur la tête de siphon de celle-ci. Beau panorama sur St Sauveur et la Tinée. Contourner la station par le côté Est et se retrouver sur le canal maçonné d'arrivée d'eau. Suivre ce canal couvert. De vieilles maisons et granges jalonnent le trajet. **0 h 45** Poteau 234 qui termine le circuit du Giut. Prendre à droite le chemin creux qui monte dans les schistes rouges alors qu'apparaissent les marques blanches et rouges du GR 5. **0 h 50** Balise 235. Suivre la direction "Circuit du Serre" en laissant à droite le chemin allant à Roure. **1 h 05** Le sentier oblique Ouest et le ravin de la Vionène se révèle à gauche en contrebas. Curieusement sur la rive opposée les roches rouges et blanches alternent, donnant un aspect peu courant à la montagne. Au-dessus du chemin, sur la crête, le village de Roure s'allonge sur son éperon. **1 h 15** Jalon N° 236 et route D30. Traverser et remonter cette dernière d'une vingtaine de pas pour prendre le sentier qui descend à gauche direction Ouest à hauteur d'un potelet. Trois ou quatre mn après, le chemin inondé par une résurgence se dirige vers une falaise calcaire qui lui barre la route et au pied de laquelle il vire carrément en sens inverse pour se diriger Sud Est. Les roches calcaires d'aspect saccharoïde scintillent au soleil. La végétation est plus rabougrie, quelques arbres à perruque (cotinus coggygria) rappellent la garrigue calcaire, mais peu après en rentrant dans les schistes rouges, chênes et châtaigniers réapparaissent. L'assiette très large du chemin est le vestige de l'ancienne route qui menait vers Roure et le Col de la Couillole. **1 h 35** En laissant une ruine sur la gauche on peut remarquer un peu plus loin une inscription en bleu Regain suivie d'une date. **1 h 45** Une petite bégude* guide un filet d'eau vers les jardins encore cultivés. **1 h 50** La chapelle St Blaise (vestiges de fresques) flanque le cimetière.
2 h 00 St Sauveur Sur Tinée.

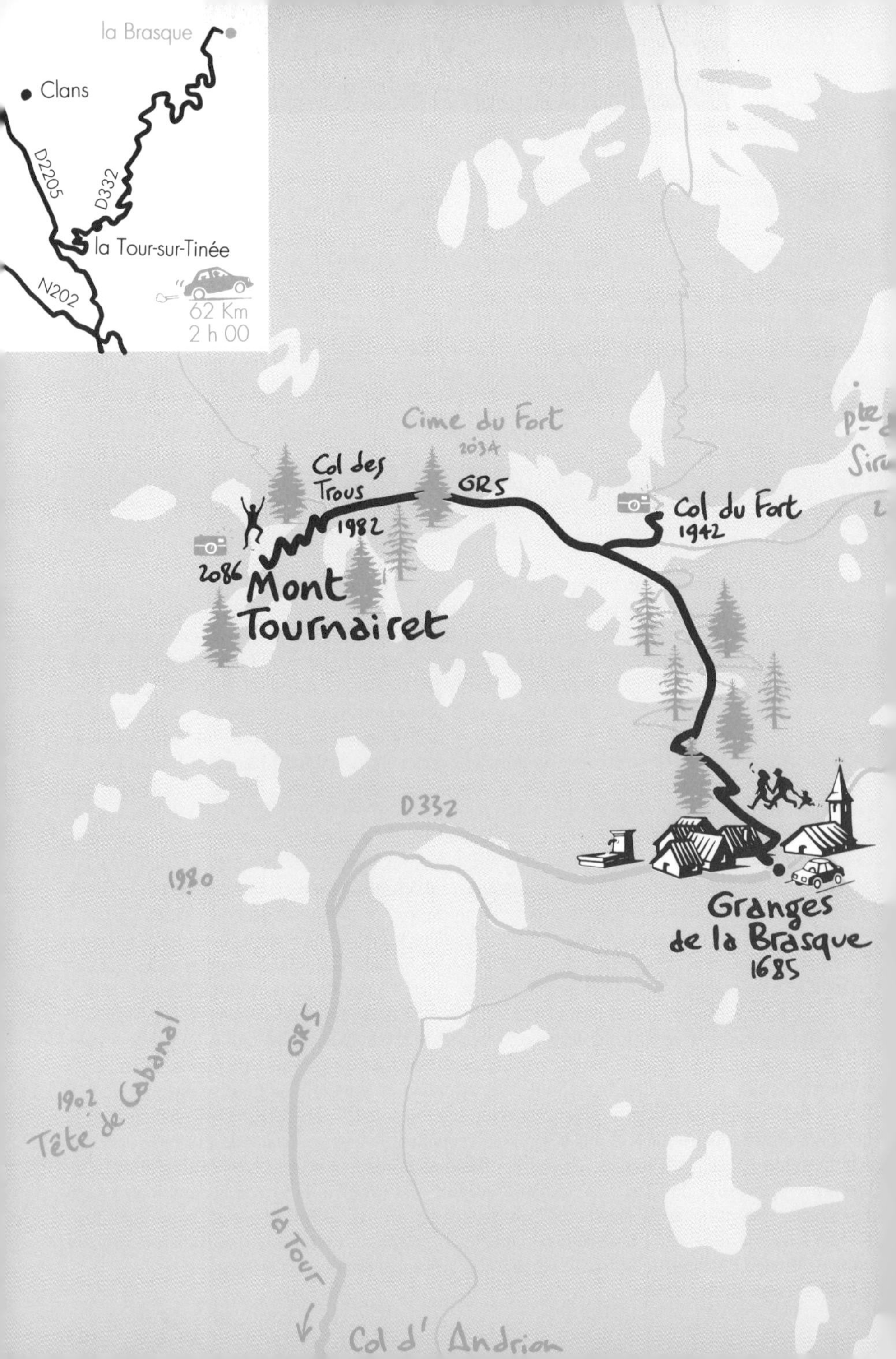

la Brasque
Clans
D2205
D332
la Tour-sur-Tinée
N202
62 Km
2 h 00
Cime du Fort
2034
Col des Trous
1982
GR5
Col du Fort
1942
2086
Mont Tournairet
D332
1980
Granges de la Brasque
1685
GR5
1902
Tête de Cabanal
la Tour
Col d' Andrion

41 - Le Mont Tournairet

Granges de la Brasque,
à côté de l'église, 1687 m

2085 m - 400 m

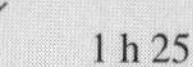

1 h 25

1 h 00

Blanc-Rouge

La Tour sur Tinée est une des perles des villages perchés du Pays niçois. Ses maisons anciennes, ses belles façades en trompe-l'oeil récemment restaurées avec art, son Moulin à huile, sa place pavée, sa fontaine, ses rues caladées* lui donnent une allure italienne et à la fois provençale. Son église St-Martin gothique du 16ème contient de belles richesses. Les Granges de la Brasque étaient un point de garnison important au cours de la dernière guerre. Les écussons des divers régiments qui y ont stationné sont gravés sur des rochers au bord de la route à l'entrée du hameau, maintenant transformé en colonies de vacances. Les splendides forêts qui les entourent, sont à peine percées par les pointes de Siruol, de Lignas, et du Tournairet. Au sommet de ce dernier un cercle de pierres gravées tient lieu de table d'orientation, localisant tous les forts environnants. Restaurant et commerce à La Tour sur Tinée.

0 h 00 De l'église des Granges de la Brasque, prendre au poteau jalon 148 le GR 5 balisé blanc-rouge en montant par la route stratégique.

0 h 10 Abandonner la route pour suivre à droite le balisage blanc-rouge du GR 5 qui coupe les lacets de la voie carrossable.

0 h 45 Poteau 320, laisser à gauche le GR pour monter à droite par un sentier balisé jaune vers le Col du Fort atteint à

0 h 55 au jalon 321. Coup d'oeil sur la vallée de La Vésubie. Revenir au poteau 320 et reprendre le GR qui monte à gauche.

1 h 05 Col des Trous poteau 319. Monter à gauche, en laissant le GR 5 qui continue à droite. Par une série de lacets, s'élever vers des ruines de casernement et arriver à

1 h 25 au sommet du Tournairet. Beau panorama et table d'orientation tracée au sol par des rochers gravés. Le retour s'effectue par le même chemin que l'aller en évitant au poteau 320, de monter vers le Col du Fort.

2 h 25 Granges de la Brasque.

Utelle
St Jean
la Rivière
N2565
Levens
Plan du Var
N202
42 Km
1 h 30
D32
D32
822
Utelle
D132
Madone d'Utelle
GR5
1194
GR5 var.
750.
Col
d'Ambellarte
967.
GR5
D2565
Crête de 965 la Pallu
Nice
la Vésubie

42 - La Madone d'Utelle

 Utelle, en fin de l'agglomération, 825 m  1194 m - 460 m

 2 h 00  0 h 40  Jaune

 Le site de la Madone d'Utelle est sans conteste le plus réputé des belvédères du département. Une table d'orientation, dressée par le regretté Docteur Vincent Paschetta, permet une reconnaissance visuelle de tous les sommets du Pays niçois.

 Le sanctuaire, fondé en 850 et reconstruit en 1806, voit annuellement de nombreux pèlerinages depuis les temps les plus reculés. Lieu de visite et de promenade, il est très fréquenté dimanches et jours fériés. La ville d'Utelle est un véritable musée architectural où se retrouvent des vestiges médiévaux, des linteaux de portes aux gravures ésotériques et mystérieuses, jusqu'aux façades récemment restaurées en "trompe-l'oeil" d'un rendu très heureux. Son église St Véran renferme des oeuvres d'art de grande valeur : tableaux, retable, sculptures ; tout comme les chapelles des confréries des Pénitents Blancs ou Noirs.

 Le gîte d'étape très accueillant de la Madone fait buvette et restauration légère. A Utelle, hôtel, restaurants.

La randonnée proposée met en évidence la brutale opposition de végétation entre les adrets* desséchés et les ubacs* ombrageux.

0 h 00 Sortir d'Utelle par le GR 5 balisé blanc-rouge qui plonge dans le vallon du Rio par la rue Passeroni (devant la poste). Poteau jalon 7 prendre direction Cros d'Utelle. Passer sur un pont médiéval, et monter par la calade*.
0 h 40 Franchir le Vallon du Cros et un peu plus loin tourner à droite au poteau 6, vers "Col d'Ambellarte" en suivant un balisage jaune. Passer entre deux ruines en pénétrant dans un bois de châtaigniers. Le sentier suit la rive droite d'un ravineau et monte sur une arête rocheuse.
1 h 10 Dépasser une ruine et se diriger vers un abri de berger couvert de tuiles rouges.
1 h 25 Poteau 118 au Col d'Abellarte. Partir à droite et monter à flanc de montagne en suivant les balises jaunes, par un sentier mal tracé. Ne pas perdre les balises.
1 h 55 Franchir la Barre de la Madone et déboucher sur le plateau, jalon 117. Aller jusqu'à la table d'orientation placée dans un kiosque situé, à gauche, au bout du plateau.
2 h 00 Venir au sanctuaire. Partir par la route sous le refuge et descendre par le sentier, au poteau 116, qui coupe les lacets de la route D132 en suivant la ligne électrique. Il traverse deux fois la route et arrive au poteau 115. Par la route, aller 250 m plus loin jusqu'au jalon 114, dans le virage en épingle à cheveux, quitter la route à gauche.
2 h 10 Prendre le chemin qui descend à droite vers Utelle, balisé jaune, en évitant celui qui part à gauche vers le Reveston.
2 h 35 Poteau 113 suivi du 112 et balisage blanc-rouge du GR 5.
Poursuivre la descente au jalon 111 et arriver au parking à **2 h 40**.

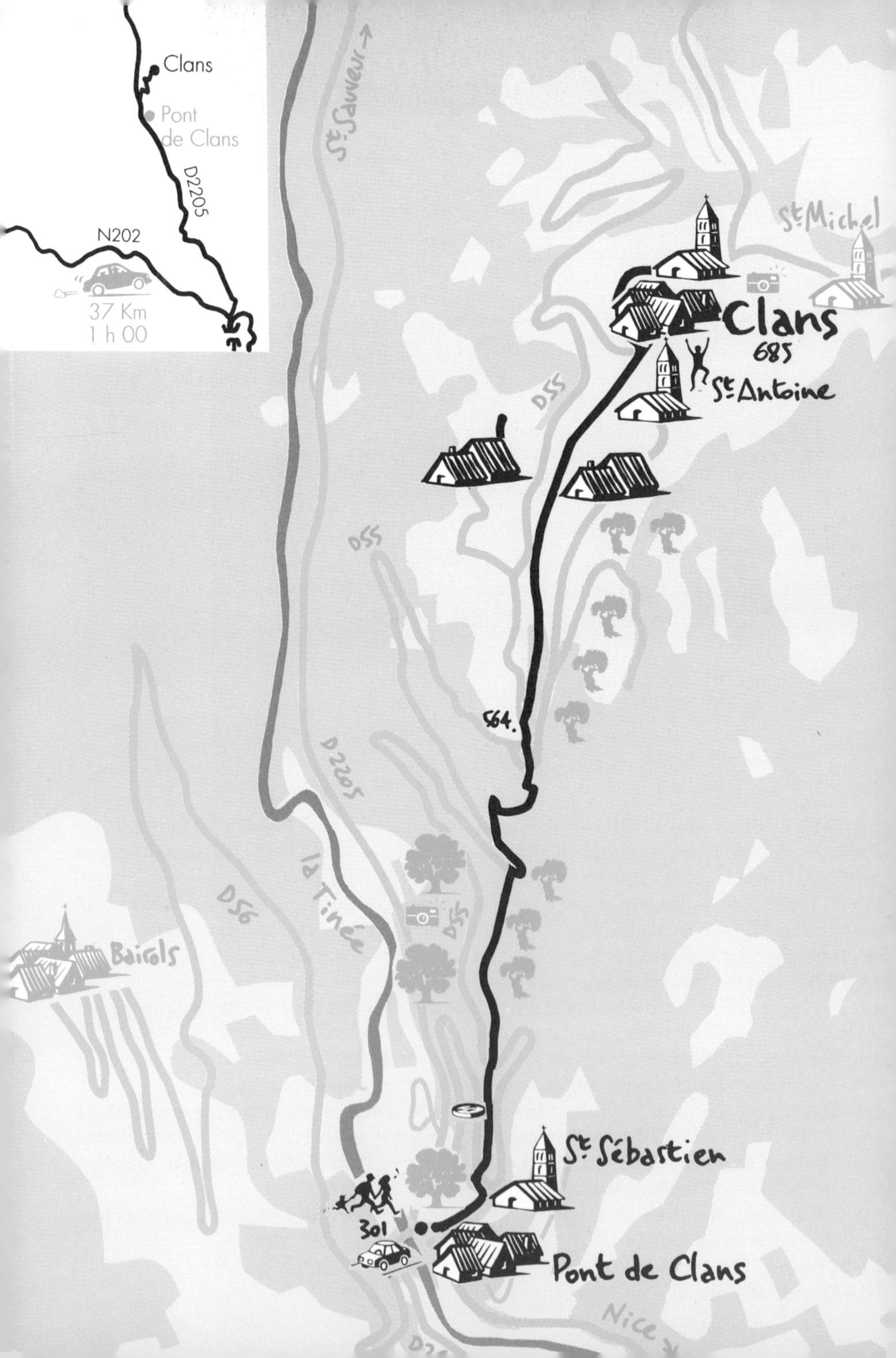

Clans
Pont
de Clans
D2205
N202
37 Km
1 h 00
St Sauveur
St Michel
Clans
685
St Antoine
D55
D55
564.
D2205
la Tinée
D56
D55
Bairols
St Sébastien
301
Pont de Clans
Nice

43 - Clans

 Pont de Clans, à côté de l'Hôtel du Pont de Clans, 301 m

 685 m - 380 m

 1 h 35 — 1 h 25

 Jaune

 La chapelle St Antoine est décorée de fresques du 15-16ème siècle retraçant la vie du Saint, couramment invoqué comme protecteur de la peste qui sévissait dans le pays à cette époque. Elles peuvent être attribuées à Cavanesio. Pour visiter, demander la clé à l'épicerie (Mme Marinette) qui détient aussi celles des autres édifices religieux du village.

 Le village médiéval de Clans est allongé sur un promontoire d'où la vue embrasse les pentes du Mont Tournairet et l'une des plus belles forêts des Alpes Maritimes. De l'ancienne collégiale de la Nativité de Notre Dame (11ème siècle restaurée au 14ème et au 18ème) admirer le clocher lombard à arcatures et le bel appareil de son abside romane.

 Dans son décor intérieur baroque lombard se trouvent retables, bénitier et baptistère monolithes, boiseries et trésor remarquables. Enfin le mur de l'abside derrière l'autel baroque est tapissé par les restes d'une fresque dont le sujet, particulièrement rare dans une église, traite du thème laïc de la chasse ; les autres chapelles du village (Pénitents Noirs, St Michel, St Jean) sont aussi à visiter. Une promenade dans le village permettra de découvrir tout son aspect médiéval dans l'ensemble de maisons du 14 et 15ème siècle qui subsistent.

 Hôtel, restaurants à Pont de Clans, restaurants, commerces à Clans.

0 h 00 De Pont de Clans, partir de l'Hôtel du Pont de Clans direction Est. Suivre la flèche directionnelle "Clans" du panneau 38 sur une belle calade* qui s'élève dans un bois de chênes blancs tout le long d'une croupe. Sur la droite se dresse la chapelle St Sébastien.
0 h 15 Couper la route D55 et contourner la citerne en montant toujours. Le sol très souple est constitué de schistes et de grès se décomposant en sable. Dès le printemps, une flore variée tapisse le talus. A gauche, en contrebas, la Tinée creuse sa vallée ; au-dessus, le village de Bairols hérisse de ses maisons, la crête de la rive droite.
0 h 45 Après la cote 458 il faut à nouveau traverser la route goudronnée et reprendre à gauche l'ancienne voie qui surplombe peu après le vallon du Monar. La vue plonge à droite sur des restanques* étagées. Quelques oliviers et des petites cultures maraîchères restent les témoins de l'intense activité agricole d'autrefois sur ces pentes bien exposées,
1 h 00 A partir du poteau 39 continuer sur la route pour arriver devant la chapelle St Antoine à **1 h 25**. Monter jusqu'à **1 h 35** Clans. Le retour s'effectue par le même chemin que l'aller **3 h 00** Parking.

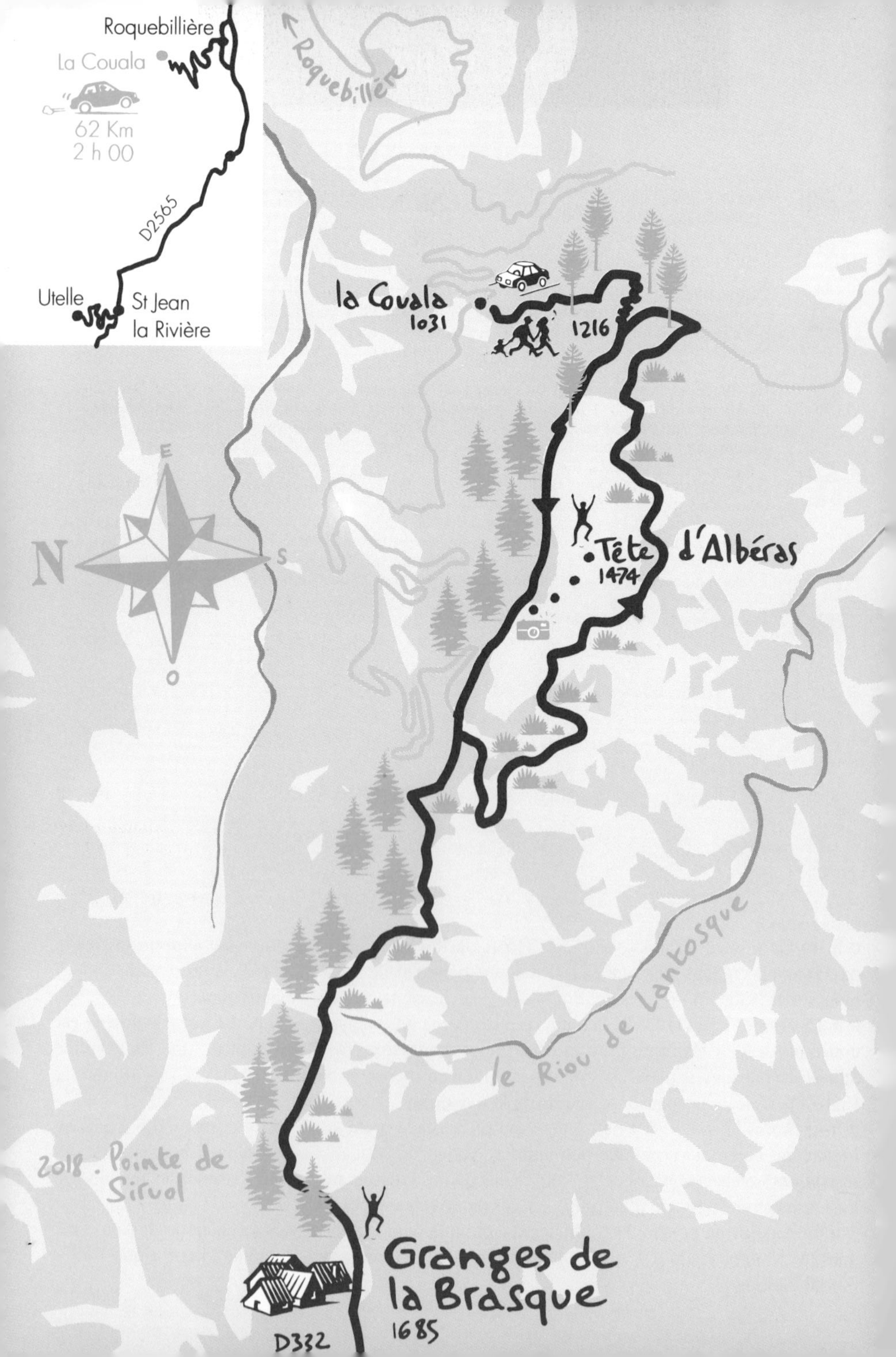
Roquebillière
La Couala
62 Km
2 h 00
D2565
Utelle
St Jean
la Rivière
Roquebillière
la Couala
1031
1216
E
N
S
O
Tête d'Albéras
1474
le Riou de Lantosque
2018 . Pointe de
Siruol
Granges de
la Brasque
1685
D332

44 - Les Granges de la Brasque

 La Couala poteau 216, 1031 m  1685 m - 660 m

 2 h 00  1 h 30 Jaune

 Roquebillière (la roche des abeilles) dont le vieux village a été ravagé 2 fois par une avalanche provenant du Mont Barmonnet, aux 16ème et 20ème siècles, a été reconstruit sur la haute rive droite de la Vésubie. Il subsiste de l'ancien village la belle église gothique du 15ème siècle, construite sur une chapelle de Templiers.

 A 6 Km et au Nord, sur la rive gauche, le hameau de Berthemont les Eaux, est une station thermale dont les eaux, chaudes, sulfureuses, alcalines et radio-actives sont connues depuis l'époque romaine. On y traite les rhumatismes, et les affections O.R.L.

 Lieu de séjour et d'estivage, Roquebillière possède hôtels, restaurants et commerces.

0 h 00 Prendre le sentier qui monte à gauche de la route, au poteau jalon 216. Au lieu-dit La Couala.
0 h 05 Eviter le sentier de droite à hauteur de balises O.N.F.* (blanc-rouge et blanc-vert).
0 h 10 Dépasser l'arbre marqué 24 en limite de parcelle forestière.
0 h 25 Aborder une série de lacets en obliquant à gauche.
0 h 30 Bifurcation au poteau 217, partir à droite.
0 h 35 En atteignant la ligne de partage des eaux (la crête), continuer à monter, par le sentier de gauche.
0 h 50 Pénétrer sous le couvert d'une belle forêt de sapins pectinés. A la bifurcation rester à gauche.
1 h 05 Abandonner la ligne de crête en contournant la Tête d'Alberas. Passer entre les arbres numérotés 21 et 22.
1 h 15 Le chemin sort dans une baisse* d'où on peut atteindre le sommet de la Tête d'Alberas, en partant à gauche le long de la crête, (en 10 mn AR, temps non compté ici). En continuant à monter, à droite, déboucher au poteau 223 à
1 h 30 sur une voie carrossable à suivre sur 2,5 km, en évitant la route de gauche à la bifurcation qui suit.
2 h 00 Granges de la Brasque. Revenir par le même chemin que l'aller jusqu'à la bifurcation qui suivait la balise 223.
2 h 25 Bifurcation, prendre à droite la route stratégique descendant sur le flanc Ouest de la montagne, vers Lantosque. Suivre cette voie pendant 3 km environ et dans un grand virage à
3 H 05 monter à gauche pour atteindre une baisse située à 5 ou 6 m au-desssus de la route, sous une ligne électrique, poteau jalon 218. Prendre le sentier en légère descente à gauche.
3 h 10 retrouver le poteau 217 et dégringolant à droite, par le chemin de l'aller, revenir au parking en passant à 3 h 20 devant l'arbre 24.
3 h 30 Parking.

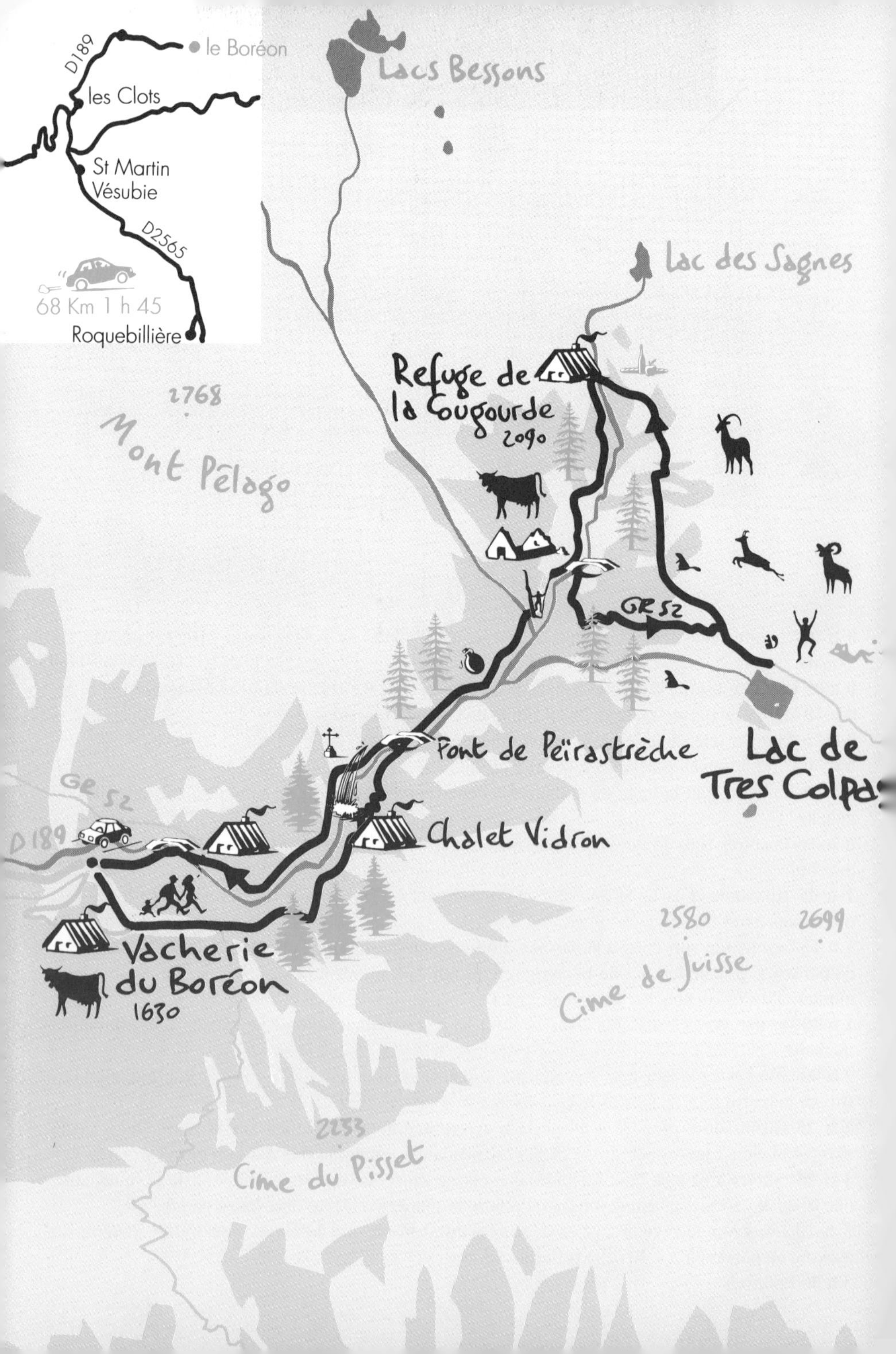

D189
le Boréon
les Clots
St Martin Vésubie
D2565
68 Km 1 h 45
Roquebillière
Lacs Bessons
Lac des Sagnes
Refuge de la Cougourde
2090
2768
Mont Pélago
GR 52
Pont de Peïrastrèche
Lac de Tres Colpas
GR 52
D 189
Chalet Vidron
Vacherie du Boréon
1630
2580
2699
Cime de Juisse
2233
Cime du Pisset

45 - Lac de Très Colpas

 Vacherie du Boréon, 1600 m

 2150 m - 550 m

 1 h 35

1 h 55

Jaune

Le refuge de la Cougourde offre restauration et hébergement.
Au Boréon hôtels, restaurants et gîte d'étape sont très accueillants.

0 h 00 Du poteau jalon 419 monter vers les étables. Prendre la première route forestière de gauche, sous les mélèzes, à la vacherie. **0 h 10** Poteau 420. Laisser à droite une voie descendante, et continuer jusqu'au jalon 421. Prendre à gauche en montant. **0 h 20** Au poteau 422 aller à droite. Le sentier longe une bégude* qui prend naissance à **0 h 30** dans un petit lac artificiel. Contourner celui-ci par la droite en passant sur une passerelle, laisser à gauche le Chalet Vidron. **0 h 40** Le sentier presque horizontal longe le cours du Boréon, passe rive droite par le pont de Peyrestrèche (Pierre Etranglée), où se rencontrent le balisage blanc-rouge du GR 52 qu'il faut, au poteau 423, suivre en montant. **0 h 45** Franchir une passerelle, puis un ruisseau à gué, suivi de 3 autres passerelles. Dépasser une fontaine d'eau potable à droite. Arriver au jalon 424. Laisser à gauche le chemin des Lacs Bessons et continuer sur le GR 52. Passer entre les blocs de la Peyrestrèche. **0 h 55** Poteau 425, à gauche ruines de bergeries, monter à droite en passant la passerelle. Au fur et à mesure de la montée la forêt s'éclaircit. **1 h 30** Au pied du verrou du lac, jalon 427, partir à gauche pour escalader les derniers rochers du verrou. Là avec un peu de chance, beaucoup de silence, de patience et d'immobilité on peut voir une hermine, locataire des lieux. **1 h 35** Lac de Très Colpas. Revenir au poteau 427, et prendre alors à droite la direction du Refuge de la Cougourde. Suivant la ligne de niveau le sentier est jalonné de cairns au milieu des rochers du long clapier* à traverser. **1 h 50** Le refuge peint en jaune apparaît en face sur la croupe. Une passerelle franchit le Ruisseau des Gaisses après quelques nouveaux clapiers. **2 h 00** Refuge de la Cougourde. Descendre par le sentier qui plonge vers le fond du vallon face au refuge, jalon 426, et arriver aux ruines de la Bergerie de Peyrestrèche. Au poteau 425 prendre à droite le chemin de l'aller. **2 h 45** 50 m avant le pont de Peyrestrèche, au jalon 423, partir à droite sur le GR 52, rive droite du torrent, en descendant. **2 h 55** Une croix commémorative de l'accident de 4 prêtres Suisses est plantée au bord du sentier. Un peu plus bas s'avancer sur l'éperon qui domine la rivière pour admirer la cascade de Peyrestrèche. **3 h 15** Rester sur le GR à droite en négligeant les sentiers successifs descendant à gauche. Dépasser le refuge privé Saladin. **3 h 20** Abandonner le GR pour franchir le pont à gauche et par la voie carrossable arriver au parking à **3 h 30**.

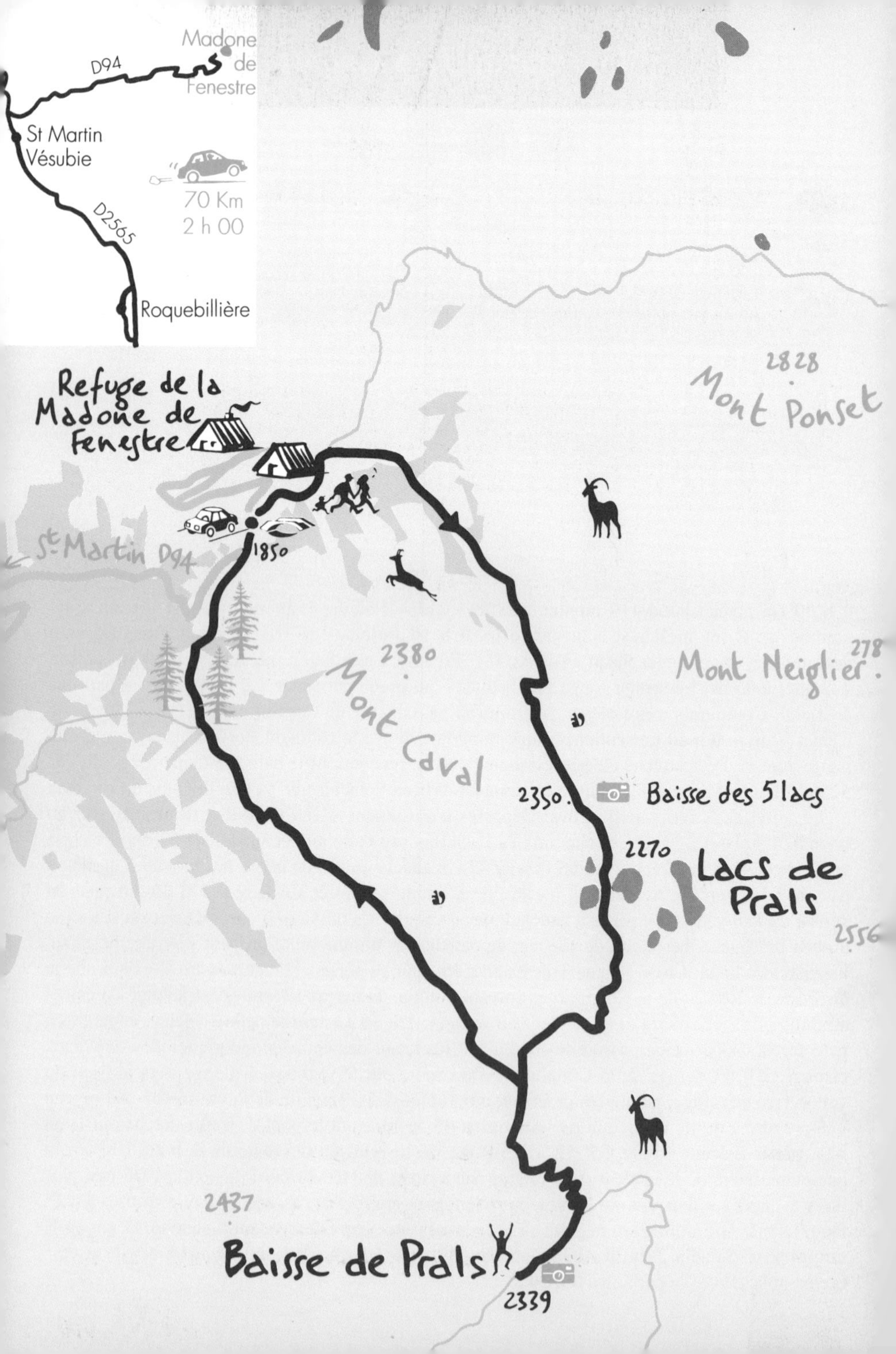

Madone de Fenestre
D94
St Martin Vésubie
70 Km
2 h 00
D2565
Roquebillière

Refuge de la Madone de Fenestre
St-Martin D94
1850
2828
Mont Ponset
2380
Mont Caval
278
Mont Neiglier
2350
Baisse des 5 lacs
2270
Lacs de Prals
2556
2437
Baisse de Prals
2339

46 - Les Lacs et la Baisse de Prals

Poncet au bas du hameau de la Madone, 1850 m

2350 m - 690 m

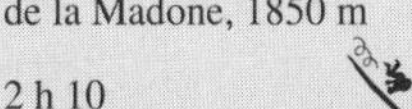

2 h 10 — 1 h 25

Jaune

La flore de rocailles alpines ou de combes herbeuses est exceptionnelle.

Faune alpestre, bouquetins, chamois, mouflons, marmottes

La Suisse niçoise, tel est le nom donné à la région de St Martin Vésubie. Citée médiévale, anciennement fortifiée où il y a de belles choses à découvrir. La Madone des Fenestres, fondée par les Templiers était un relais sur les chemins reliant le Piémont à Nice et Villefranche, d'où partaient les routes pour le Proche Orient ou pour St Jacques de Compostelle. Situé au bas du col de la Madone, au plus haut d'un vallon fermé par des montagnes élévées et abruptes (le Gélas 3143 m), le sanctuaire est un lieu de pélerinage très fréquenté encore de nos jours. De nombreuses courses en montagne en partent, pour les cols, baisses* et sommets alentour. De jolis lacs glaciaires émaillent l'âpre rigueur de ce décor de haute montagne.

Hôtellerie, restauration au refuge du Club Alpin Français.

0 h 00 Partir rive gauche du ruisseau "du Poncet" avant le pont. Poteau jalon 360. Dépasser la vacherie jalon 367. **0 h 10** Franchir le ruisseau à gué et s'élever à droite dans le creux du Vallon du Poncet par le sentier en lacets assez raides, en laissant à gauche le balisage blanc-rouge du GR 52. **0 h 25** Arriver sur un replat, et poursuivre la montée. **0 h 35** Le sentier presque à plat surplombe le ravin à droite et débouche dans un petit cirque. **1 h 00** Cheminer le long de la crête. **1 h 15** Dans une cuvette, le sentier s'échappe à droite et en 2 lacets arrive à la Baisse des 5 Lacs. Descendre vers les lacs, poteau 366. **1 h 20** Passer entre les deux premiers lacs et descendre à droite vers un large chemin perpendiculaire, montant en écharpe à travers le gazon. **1 h 55** jalon 364. Monter à gauche par le large chemin en lacet. **2 h 10** Ligne de crête atteinte à la Baisse de Prals. Redescendre par le même chemin jusqu'au poteau 364. Eviter le sentier de droite descendant des lacs, et continuer sur la large voie. **2 h 25** Arriver au jalon 363 et négliger le sentier qui part à droite. **2 h 40** Passer à gué le Ruisseau de Prals et entrer rive gauche dans un bois de mélèzes. **3 h 05** Poteau 362, à la passerelle éviter le sentier montant à gauche pour descendre à droite. **3 h 20** Aboutir à la D94 au jalon 361, et partant à droite, gagner le parking à **3 h 25**.

Col de Salèse
69 Km
2 h 00
D189
Le Boréon
Les Clots
St Martin Vbie
D2565

2855
2615
Pas du Préfouns
2824 Tête Sud des Bresses
2889
Pointe de Giegn
Lac Nègre
2354
lac des Bresses
2458
lac Graveirette
2239
Camp Soubran
Lacs Frémamo
Serre de Ro
Col de Salèse
2031
le Boréon

47 - Lacs Nègre et de la Graveirette

Entrée du Parc sur la route du Col de Salèse
Col de Salèse 2031 m
ou 1700 m entrée du Parc

615 m - 600 m du Col de Salèse
ou 950 m de l'entrée du Parc

1 h 50
ou 2 h 50

1 h 55
ou 2 h 55

Jaune à partir du col,
Blanc-Rouge jusqu'au col

La mitoyenneté des Parc National du Mercantour en France, et du Parco Natural d'Ellargentera en Italie constitue pour la faune et la flore régionale une réserve idéale à la conservation des espèces.
Du Col de Salèse, partent de nombreux itinéraires. Celui décrit ici conduit au Lac Nègre, puis au Pas de Préfouns, puis au Lac de Graveirette. Si l'on a été obligé de monter à pied jusqu'au Col de Salèse, on peut, mais c'est dommage, abréger le parcours en s'arrêtant au Lac Nègre. On gagne ainsi 1 h 20.

Hôtel, restaurants au Boréon.

Pour atteindre le Col de Salèse sans prendre la navette, suivre la balade n°38.

Du Col de Salèse : **0 h 00** Au poteau jalon 436 partir à droite sur la route en descente. Au poteau 268, prendre à droite la voie carrossable en légère montée, inondée par endroits. **0 h 10** Jalon 269. Là, quitter la route pour s'engager sur un sentier montant à droite balisé jaune-vert, dans de beaux rochers de kaolin. **0 h 20** Après une assez raide montée déboucher sur un replat. Continuer à monter. **0 h 30** Bifurcation, prendre à droite. Un repère de nivellement de l'I.G.N.* est scellé sur un rocher. Cote 2193. **0 h 45** Nouvelle bifurcation au poteau 270, laisser à droite la montée au Col de Fremamorte, pour monter à gauche. Ce lieu s'appelle le Camp Soubran. **0 h 55** Aborder le verrou glaciaire du lac. **1 h 00** Lac Nègre. De là on peut soit rebrousser chemin, soit continuer jusqu'au Pas de Préfouns (150 m à monter en plus). Pour aller au Pas de Préfouns : contourner le lac sur un sentier bien marqué en se dirigeant vers le creux au Nord du lac. **1 h 15** Laisser à gauche des sources au fond de la combe. **1 h 20** Dépasser l'enclos de pierres sèches qui borde le chemin à droite. Amorcer la montée en lacet conduisant au Pas de Préfouns. **1 h 50** Pas de Préfouns jalon 272. Revenir par le même chemin que la montée au Lac Nègre puis au Camp Soubran. **2 h 40** En évitant le sentier par lequel s'est effectuée la montée, prendre à droite la piste forestière presque horizontale. **2 h 45** Passer sous le verrou du lac en franchissant le ruisseau déversoir. **3 h 05** Le large chemin bifurque. Partir à droite en montant. **3 h 10** Lac de la Graveirette. Revenir à la précédente bifurcation, puis descendre à droite sur la piste. **3 h 25** Sur la gauche dans le bois de mélèzes prendre le sentier qui escamote une boucle de la voie que l'on retrouve un peu plus bas au droit d'un ruisseau qui la coupe. Aller à gauche sur ce large chemin. **3 h 35** Laissant une ruine sur le côté arriver au jalon 269. Continuer sur le chemin pris au départ pour arriver à **3 h 45** au Col de Salèse. Si l'on ne prend pas la navette du Parc, descendre par la route jusqu'au jalon 435 et suivre le balisage blanc-rouge du GR 52 pour ressortir à l'entrée du Parc 55 mn après.

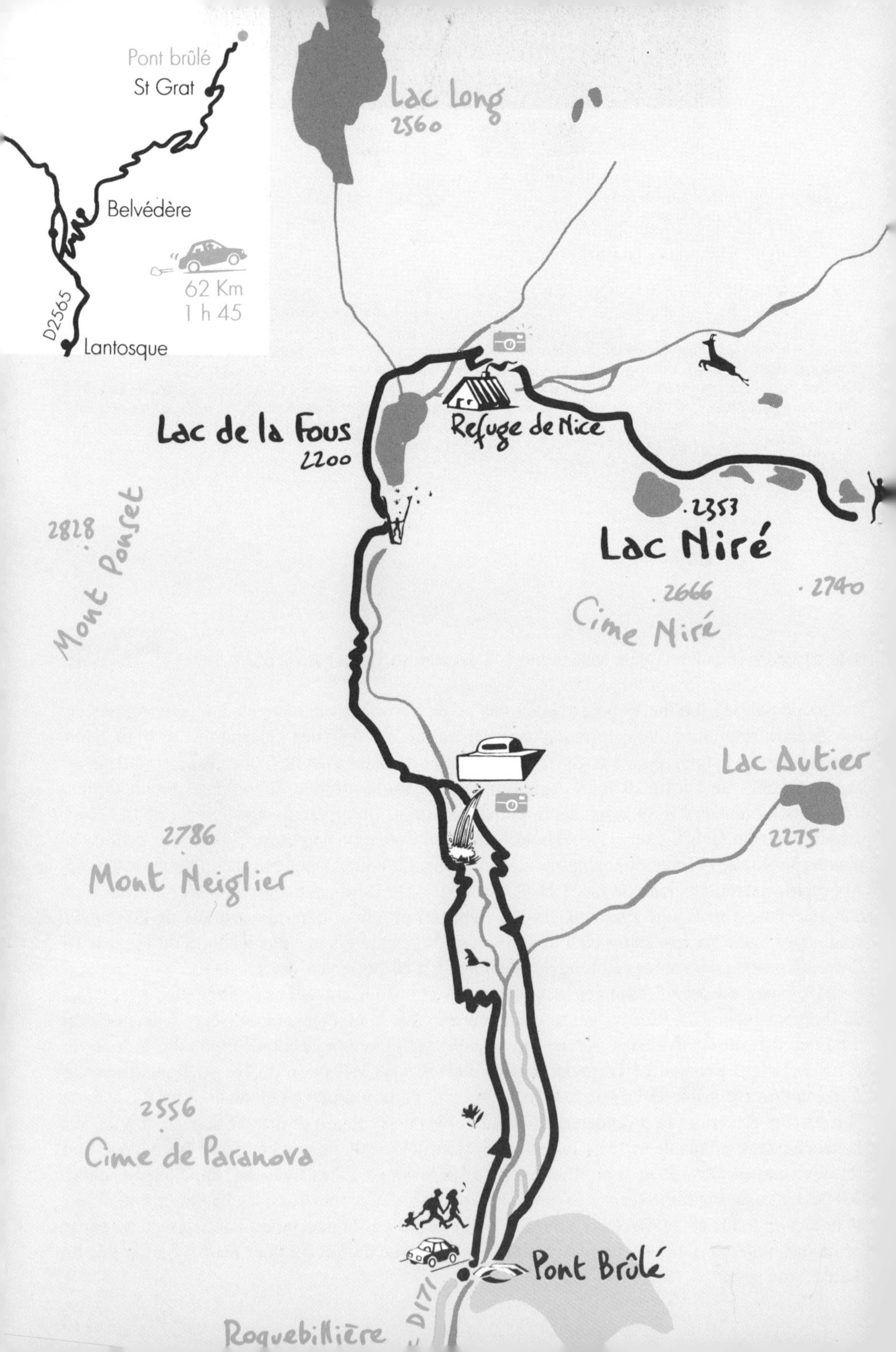

Pont brûlé
St Grat
Belvédère
62 Km
1 h 45
D2565
Lantosque

Lac Long
2560

Lac de la Fous
2200

Refuge de Nice

2353
Lac Niré

2828
Mont Ponset

2666
Cime Niré

2740

Lac Autier
2275

2786
Mont Neiglier

2556
Cime de Paranova

Pont Brûlé
D171
Roquebillière

48 - Les Lacs Niré 

 Fin de la route, pont brûlé sur la Gordolasque,1702 m  2379 m - 580 m

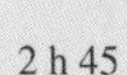 2 h 45  2 h 15  Jaune

La Gordolasque est un des hauts lieux de la randonnée en montagne du Pays niçois. La montagne se révèle, âpre, aride, dans ses roches aux couleurs variées, mais aussi avec ses lacs glaciaires limpides et profonds, dans son inquiétante grandeur. Les sommets alentour dépassent ou approchent les 3 000 m. Les hivers y sont rudes. **Au moindre signe de mauvais temps il ne faut pas hésiter à faire demi-tour.**

Belvédère est un charmant village perché sur un promontoire comme le sont les vieux habitats du Pays niçois, offrant des vues imprenables sur le cours de la Vésubie.

 Lieu de séjour et de vacances, on trouve à Belvédère restaurants et commerces.

0 h 00 Partir à gauche avant le pont, vers l'école d'escalade. Dépasser les baraquements de l'école en longeant la rive droite de la Gordolasque.
0 h 10 Entrée du Parc National du Mercantour.
0 h 20 Quitter le lit de la rivière pour s'élever en lacet.
1 h 00 Cascade de l'Estrech. Laisser à droite un chemin qui franchit la rivière à gué et gravir les dalles de grès et de gneiss le long de la rive gauche d'un petit affluent.
1 h 10 Passer dans une brèche entre 2 gros rochers.
1 h 20 Poteau 415. Franchir la zone marécageuse sur la passerelle et croiser à
1 h 35 le GR 52 qui monte à gauche vers le Pas du Colomb au poteau 416. Suivre le balisage blanc-rouge vers le Refuge de Nice.
1 h 45 Barrage et lac de La Fous. Suivre la voie carrossable en bordure du lac et monter vers le refuge atteint à
2 h 00. Du refuge partir à gauche en suivant le GR.
2 h 15 Passer au pied d'une petite cascade, puis après avoir franchi des dalles de grès, monter dans un petit creux pour arriver au verrou du premier Lac Niré, sur la droite.
2 h 30 premier lac, suivi de 3 autres, toujours sur le GR.
2 h 45 Au 4ème lac, faire demi-tour, et revenir successivement au refuge, puis au lac de La Fous, laisser à droite le GR au poteau 416.
4 h 05 Lorsqu'on arrive au croisement passé à 1 h 00 en montant, partir à gauche et passer la rivière à gué en venant sur sa rive gauche.
4 h 10 Vestiges d'un point fortifié tenu par les Italiens lors de la dernière guerre. Descendre par les lacets.
4 h 25 Replat d'où la vue est grandiose sur la cascade de L'estrech. La descente devient plus régulière, passer à gué le Vallon de l'Autier et dépasser les jalons 414 et 413 pour arriver au parking à **5 h 00**.

le Pra
Boussieyas
Vens
D2205
St Dalmas
le Selvage
St Etienne
de Tinée
92 Km
2 h 00.
Auron

Refuge de
Vens

Lacs de Vens

2779

.2700
Cime
du Fer

2327

E
N
S
O

Maison forestière
de Tortisse

2364
Pointe du Quartier

1553

Vens

D64

St Etienne. de. T.

Le Pra
1660

51 - Le Tour de Sestrière

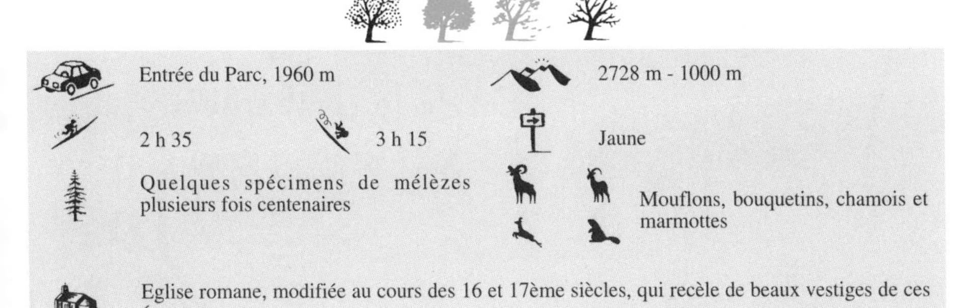

Entrée du Parc, 1960 m
2728 m - 1000 m
2 h 35
3 h 15
Jaune
Quelques spécimens de mélèzes plusieurs fois centenaires
Mouflons, bouquetins, chamois et marmottes
Eglise romane, modifiée au cours des 16 et 17ème siècles, qui recèle de beaux vestiges de ces époques.

0 h 00 Du poteau jalon 57 s'engager dans la forêt de mélèzes vénérables. Sur le sentier balisé jaune, rive gauche du ruisseau. **0 h 10** Laisser sur la droite un chalet dans une clairière. Traverser le petit cours d'eau cascadant parmi des blocs de grès. S'élever rive gauche de celui-ci. **0 h 35** Dépasser les derniers mélèzes à hauteur d'une cabane abri. Continuer le long du ruisseau. **0 h 50** Passer sur la rive droite. Puis à **1 h 00** revenir rive gauche. Monter dans le creux du vallon vers le "Col de la Braïssa" en suivant des jalons plantés de loin en loin. **1 h 15** 4ème jalon. **1 h 35** Le chemin s'écarte un peu sur la droite et monte en lacet vers le 5ème poteau.**1 h 40** Au 6ème jalon, obliquer vers l'abri couvert de tôles ondulées et monter le long du flanc droit du creux. **1 h 45** Col de la Braïssa. Poteau jalon 59. Prendre à droite la direction "Col de la Plate" en descendant à flanc de montagne. **2 h 00** Le sentier mal tracé grimpe en lacet vers le Col de la Plate. Poteau 60. **2 h 35** Col de la Plate. Descendre dans le couloir de droite, sans aller sur le plateau qui s'étale à gauche. Dans le creux, une voie stratégique se révèle descendant en lacet. Une inscription rappelle qu'elle a été créée par le 4ème Génie. **3 h 05** Laisser sur la gauche le lac de la Braîssette en restant sur la route militaire. **3 h 50** Source captée, suivie de constructions militaires abandonnées. Dépasser ces ouvrages et franchir un couloir d'avalanches. **4 h 05** Déboucher sur une voie empierrée plus large, balisée blanc-rouge GR 56, à prendre à droite en montée. Sur la gauche, dans un plateau gazonné, des cercles de pierres marquent un ancien camp militaire, à leur gauche, à une centaine de pas un rocher de forme triangulaire s'appelle Le Rocher d'Annibal. Des sigles de régiments sont gravés sur différents rochers. **4 h 30** La voie carrossable, après 2 boucles, rejoint une route goudronnée, la D9. En face se dresse la Cime de la Bonnette. Sur la gauche la route du Col de Restefond barre horizontalement la cime des Trois Sestrières. Partir à droite sur la D9 et à **4 h 40** arriver au Col de la Moutière, poteau 61. Descendre à droite en abandonnant le GR et à l'ancien blockhaus au poteau 62, suivre une route mal tracée, matérialisée par des bordures de pierres, qui descend vers le fond du Vallon des Sagnes. Parallèlement au fil du torrent, en restant sur les hautes berges, pour se rapprocher du lit vers **5 h 15**, le franchir à gué et sortir sur la route à l'orée de la forêt de mélèzes. **5 h 20** Descendre à droite sur cette route en couper deux lacets à travers bois et atteindre le parking à **5 h 40.**

D97
Isola
Isola
2000
D2205
80 Km
2 h 30
Col de la Lombarde
Douane
2350
2474
D97
E
N
S
O
2331
Tête Grosse
du Cheval
Isola 2000
D97
2418
Vinadio
Ste-Anne
2010
2308
Pas de Ste-Anne
2167
Lac Ste-Anne
Passo di Tesina
2430
Col du Lausfer
2332
1420
Lacs Lausfer
Col du Saboulé
2460
Isola

52 - Les Lacs de Lausfer 

 Col de la Lombarde, 2350 m  2460 m - 650 m

 3 h 10  2 h 30  Blanc-Rouge et divers

 La seigneurie des Faucon Glandèves, Isola, était déjà connue au 11ème siècle. Son clocher roman, dernier vestige de l'église St Pierre, dresse ses trois étages au milieu des châtaigners qui font la renommée du village.

 Le sanctuaire Santa Anna Di Vinadio, en territoire italien sur le flanc Est de la chaîne frontalière reste un lieu de pèlerinage où pèlerins italiens et français se retrouvent pour la fête de la Ste Anne chaque 26 juillet.

 Restaurants, hôtels et commerces à Isola 2000 et Isola village.

0 h 00 Du col au poteau jalon 100 prendre la route carrossable de gauche, presque horizontale, balisée blanc-rouge au sigle de la G.T.A (Grande Traversée des Alpes). Passer au pied d'une construction. Fontaine, dernier point d'eau potable de la randonnée. La route longe la ligne de crête-frontière à quelques mètres en dessous. **0 h 10** S'engager sur le sentier à hauteur de 2 poteaux de volley-ball. **0 h 25** Vue plongeante à gauche sur le Vallon de Chastillon. **0 h 35** Un sentier, toujours balisé en blanc-rouge, continue la route carrossable. **0 h 55** Laisser à droite la cime de Moravachère couronnée de 2 ruines. **1 h 00** Passer à gauche d'un piton planté d'une croix à son sommet. S'avancer sur la croupe de droite, vue étale sur le Vallon d'Orgias. Revenir au sentier et dégringoler par des lacets suivis d'une cheminée assez raide vers le petit lac. Passer le jalon 346. Contourner le lac et sortir sur une voie empierrée. Descendre à droite. **1 h 25** Au poteau 342 aller à gauche en montant. S'élever vers les Lacs Ste Anne atteints à **1 h 40**. Franchir un petit ruisseau et grimper par de larges lacets jusqu'à **2 h 15** au Pas de Tésina. Jalon 344. Prendre le sentier de gauche, et encore à gauche après le passage de l'arête rocheuse. Le chemin à flanc de montagne est presque horizontal. **2 h 35** Le Col du Saboulé est atteint après les lacets au milieu de ruines militaires, poteau 64. S'engager à gauche en légère descente vers le 1er Lac de Lausfer. **2 h 50** Longer la rive droite du lac et monter en direction d'une casemate située dans un petit col, d'où l'on surplombe le 2ème lac, jalon 65. Monter à gauche en se dirigeant vers la ruine qui marque une échancrure de la crête. **3 h 10** Col du Lausfer. Après les ruines de casernement descendre à gauche sur une voie stratégique bien tracée. **3 h 30** Passer un défilé rocheux, poteau 345, éviter le sentier de gauche et rester sur la route militaire. Laisser des enclos de pierres sèches au bord de la voie. Refuge C.Talonne. **3 h 40** Pas de Ste Anne. Marqué par une croix plantée sur un rocher et un oratoire au vocable de la Sainte, et le jalon 78. Eviter le sentier qui plonge à droite sur le Vallon de Chastillon, pour descendre sur la route carrossable en lacet et rejoindre le poteau 346 rencontré à l'aller à 1 h 20. **4 h 00** Remonter à droite par le chemin balisé blanc-rouge par lequel on est venu. Continuer la marche "monte cale"* parallèlement à la crête frontière. Arriver au parking à **5 h 40**.

Les 15 plus belles balades de l'auteur

Page

1 - Le Mont de la Bataille 19
3 - le Tour du Cap Martin 23
8 - Le Fort du Pic Charvet 33
12 - Le Mont Cima/La Vieille Ville d'Aspremont 41
16 - Le Tour du Mont Gros 49
18 - Cime de Ventabren 55
21 - La Pinède de Breil 61
22 - La Cime du Bosc 63
29 - Lacs de Fontanalbe 77
33 - Le Mont Agnelino 85
37 - Cime de la Colmiane 95
42 - La Madone d'Utelle 105
47 - Lacs Nègre et de la Graveirette 115
49 - Les Lacs de Vens 119
50 - Le Vallon de Mollières 121

Classement

RIVIERA ET PAYS NICOIS	Dénivelée	Temps de marche aller-retour	Temps sortie complète	Page
1 - Le Mont de la Bataille	141m	1h00	2h30	19
2 - Eze, le Nid d'Aigles	420m	2h00	3h00	21
4 - Les Ruines de Châteauneuf	400m	2h20	3h20	25
6 - Le Tour du Cap Ferrat	25m	2h40	3h40	29
7 - Le Plateau de la Justice	240m	2h40	3h40	31
3 - le Tour du Cap Martin	20m	2h00	4h00	23
11 - Les Monts Chauves	350m	2h55	4h00	39
10 - Cime de la Forma	200m	2h55	4h15	37
5 - Le Grand Braus	330m	2h30	4h30	27
8 - Le Fort du Pic Charvet	311m	2h40	4h40	33
12 - Le Mont Cima/La Vieille Ville d'Aspremont	550m	3h40	4h40	41
13 - Gorbio/Ste Agnès/Gorbio	620m	3h45	4h45	43
16 - Le Tour du Mont Gros	600m	4h00	5h30	49
9 - L'Arpiha	100m	2h00	5h40	35
14 - Le Roc d'Orméa	810m	3h45	5h45	45
15 - Les Ruines de Rocca Sparvière	500m	3h55	6h25	47
17 - La Cime du Baudon	485m	4h15	6h45	51

ROYA - BEVERA - MERVEILLES

	Dénivelée	Temps de marche aller-retour	Temps sortie complète	Page
18 - Cime de Ventabren	96m	0h40	2h40	55
19 - Notre Dame du Mont	120m	1h00	4h00	57
20 - Notre Dame des Grâces	275m	1h30	4h20	59
21 - La Pinède de Breil	280m	1h40	4h40	61
24 - Fort Barbonnet	500m	3h00	5h30	67
22 - La Cime du Bosc	250m	2h15	5h45	63
23 - Pienne Haute	300m	2h30	6h00	65
26 - Le Mont Bonsapée	825m	3h15	6h15	71
25 - Fort du Mont gros	400m	3h10	6h40	69
30 - Libre/Airole/Libre	300m	4h15	6h45	79
34 - Le Mont Razet	750m	4h50	6h50	87
28 - Le Lac des Mesces	695m	4h00	7h00	75
31 - Le Château de Malmort	950m	4h15	7h15	81
29 - Lacs de Fontanalbe	515m	4h00	8h00	77
32 - Le Lac Jugale/Le Bec Roux	974m	4h30	8h30	83
27 - Les Forts du Col de Tende	500m	3h35	8h35	73
33 - Le Mont Agnelino	200m	4h40	9h30	85

VESUBIE - TINEE - MERCANTOUR

	Dénivelée	Temps de marche aller-retour	Temps sortie complète	Page
36 - La Chapelle Ruinée de St Martin	217m	1h40	3h40	93
35 - Arboretum de Roure	170m	1h00	4h00	91
40 - Au Balcon de St Sauveur	120m	2h00	4h30	101
43 - Clans	380m	3h00	5h00	107
37 - Cime de la Colmiane	290m	1h40	5h40	95
42 - La Madone d'Utelle	460m	2h00	5h40	105
38 - Col de Salèse	350m	1h50	5h50	97
39 - Le Lac des Adus	200m	1h15	5h50	99
41 - Le Mont Tournairet	400m	2h25	6h25	103
45 - Le Lac de Très Colpas	550m	3h30	7h00	111
44 - Les Granges de la Brasque	660m	3h30	7h30	109
46 - Les Lacs et la Baisse de Prals	690m	3h25	7h35	113
47 - Lacs Nègre et de la Graveirette	600m	3h45	7h45	115
50 - Le Vallon de Mollières	910m	5h00	8h00	121
48 - Les Lacs Niré	577m	2h45	8h30	117
49 - Les Lacs de Vens	800m	5h00	9h00	119
51 - Le Tour de Sestrière	1000m	5h40	9h40	123
52 - Les Lacs de Lausfer	650m	5h40	10h40	125

Dans la même collection petites traces vertes

52 balades en famille autour d'Annecy
52 balades en famille autour d'Avignon
52 balades en famille autour de Chambéry - Aix-les-Bains
52 balades en famille autour de Genève
52 balades en famille autour de Grenoble
52 balades en famille autour de Lyon
52 balades en famille autour de Marseille
52 balades en famille autour de Montpellier
52 balades en famille autour de Nîmes
52 balades en famille autour de Toulon - Hyères
52 balades en famille autour de Valence
52 balades en famille à vélo : Aix-en-Provence ; Grenoble ; Lyon
30 balades en famille : Abondance, Châtel... ; Aravis (La Clusaz, Thônes, Le Grand Bornand) ; Ardèche méridionale ; Beaufortain ; Briançonnais ; Chamonix ; Maurienne ; Morzine - Les Gets ; Oisans ; Samoëns - Sixt ; Saint-Gervais, Les Contamines ; Serre-Ponçon (Lac de) ; Tignes - Val d'Isère ; Val d'Arly ; Val Vanoise (de Brides-les-Bains à Pralognan)
30 traces gourmandes sur les sentiers dauphinois

A paraître

52 balades autour de Cannes - Antibes - Grasse - Fréjus

Pour en savoir plus aux éditions Didier Richard :

Au Pays d'Azur 163 randonnées pédestres de l'Esterel à la Roya par L. Trouchaud
Alpes du Sud : Mercantour, Merveilles, Ubaye - K. et J.-F. Dao
Flore des montagnes - R. Fritsch
Le monde fascinant de la flore alpine - E. et O. Danesch
Faune des montagnes - Nature et Images
La faune secrète de l'Alpe - A. Dell'Accio
50 sommets sans corde dans le Mercantour et le Haut-Verdon - J.-L. Daumas
Citadelles d'altitude : randonnées vers les forts des Alpes - P. Gendey et P. Kober
Cartes Didier Richard au 1 : 50 000 : - n° 26 *Au Pays d'Azur* de Fréjus à Menton
- n° 9 *Mercantour* Haut Pays niçois
- n° 1 *Alpes du Sud* Ubaye, Mercantour Nord

L'auteur

Né en Algérie d'un père cannois et d'une mère nimoise, ce provençal déraciné parcourt les sentiers depuis l'âge de 8 ans, où il est entré dans le scoutisme. Ses pas l'ont conduit des "Djebels" algériens aux monts du Liban. Revenu à sa source provençale en 1959, ce sont les chemins de Provence et du Pays niçois qu'il découvre avec sa soif d'apprendre la nature, l'histoire, la géographie physique et humaine. Il en résulte 4 guides édités par Didier Richard pour le service des randonneurs. Guidé par la même passion, Louis Trouchaud assume les fonctions de Vice-Président des comités Départemental des Alpes Maritimes et Régional Provence Alpes Côte d'Azur de la Fédération Française de la Randonnée Pédestre.